Aux origines d'un goût :
La peinture baroque aux États-Unis

Creating the Taste for
Baroque Painting in America

Sous la direction d'Anna Ottani Cavina
et de Keith Christiansen

Contents

En couverture : Le Caravage, *Les Musiciens* (détail), vers 1595, New York, The Metropolitan Museum of Art

Sommaire

À l'occasion de la cinquième édition du Salon international de la peinture ancienne, Paris Tableau propose un nouveau colloque intitulé *Aux origines d'un goût : la peinture baroque aux États-Unis* qui vient s'ajouter aux précédentes manifestations organisées par son président Maurizio Canesso au sein du Palais Brongniart, temple de ce désormais incontournable rendez-vous des amateurs de peinture ancienne.

Le thème de ce colloque sur les origines de la création et de l'enrichissement des collections de peintures baroques dans les musées américains est né de la fructueuse collaboration entre Keith Christiansen, Président du département des peintures européennes au Metropolitan Museum of Art de New York et Anna Ottani Cavina, Présidente honoraire de la Fondation Federico Zeri et professeure émérite de l'Université de Bologne.

La participation d'éminents spécialistes tels qu'Eric Zafran, ancien conservateur d'art européen au Wadsworth Atheneum Museum of Art de Hartford et Stephan Wolohojian, conservateur du département des peintures européennes au Metropolitan Museum of Art de New York apporte un nouvel éclairage sur ce vaste sujet.

Les interventions remarquables de Jean-Patrice Marandel, conservateur en chef d'art européen au Los Angeles County Museum of Art et de Stéphane Loire, conservateur en chef du département des peintures au musée de Louvre viennent illustrer ce propos.

Eve Straussman-Pflanzer, conservateur en chef des collections du Davis Museum, Wellesley College, contribue, enfin, par son talentueux concours à cette réflexion.

Grâce à une opération de mécénat culturel, GT Finance est très honorée de permettre la réalisation de cet ouvrage qui rassemble l'intégralité des exposés de ces éminents conservateurs et universitaires afin d'illustrer l'importance de la peinture baroque dans l'histoire de la peinture européenne au sein des collections américaines.

Daniel Thierry
Président du Conseil de surveillance, GT Finance

For its fifth edition, Paris Tableau, the International Fair for Old Master Paintings, is once again presenting a symposium – entitled *Creating the Taste for Baroque Painting in America*: the latest in a series organized by the fair's president Maurizio Canesso at Palais Brongniart, home of what has now become firmly established as a must-attend event for all lovers of Old Master painting.

The subject of this symposium on the origins and development of Baroque painting collections in American museums emerged from a fruitful collaboration between Keith Christiansen, Chairman of the Department of European Paintings at New York's Metropolitan Museum of Art and Anna Ottani Cavina, Honorary President of the Fondazione Federico Zeri and Emeritus Professor at the University of Bologna.

Contributions from eminent specialists such as Eric Zafran, former Hilles Curator of European Art at the Wadsworth Atheneum Museum of Art in Hartford, and Stephan Wolohojian, Curator of the Department of European Paintings at the Metropolitan Museum of Art in New York, cast new light on this vast subject.

Further insights are provided in outstanding presentations given by Jean-Patrice Marandel, Chief Curator of European Art at the Los Angeles County Museum of Art and Stéphane Loire, Chief Curator of the Paintings Department of the Musée du Louvre.

Eve Straussman-Pflanzer, Senior Curator of Collections at the Davis Museum, Wellesley College, rounds off the program with her own invaluable and expert reflections.

As part of its corporate arts sponsorship program, GT Finance is honored to support this publication, which gathers together all the presentations given by these eminent curators and academics – illustrating the importance of Baroque painting as part of the history of European painting within American collections.

Daniel Thierry
Chairman of the Executive Board, GT Finance

Paris Tableau, dans les précédentes éditions, a eu la volonté de s'intéresser au *connaisseurship*, au développement du goût, à la formation et à l'histoire des collections. Cette année, la peinture baroque et les États-Unis sont à l'honneur. En parlant avec Keith Christiansen, directeur du département des Peintures du Metropolitan Museum de New York, est apparu l'idée de se pencher sur l'arrivée de tableaux baroques aux États-Unis, entre 1930 et aujourd'hui, au travers des grandes figures de collectionneurs américains dont certains, encore peu connus. C'est avec l'enthousiasme que nous lui connaissons qu'il s'est mis à la tâche, en collaboration avec Anna Ottani Cavina, directrice honoraire de la Fondation Zeri, pour contacter les différents intervenants afin d'élaborer le programme de cet après-midi d'étude. Qu'il me soit permis ici de les remercier chaleureusement tous les deux, ainsi que tous les intervenants de ce mercredi 11 novembre 2015.

Tout comme les précédents, ce cycle de conférences et sa publication n'auraient pu voir le jour sans le concours de Daniel Thierry, président du Conseil de surveillance de GT Finance qui nous donne chaque année les moyens de diffuser un état des connaissances sur un point précis de l'histoire de l'art. Nous lui exprimons toute notre gratitude de permettre ainsi que Paris Tableau soit et reste un lieu d'échange et de réflexion sur l'art et l'histoire de l'art.

Maurizio Canesso
Président de Paris Tableau

In previous editions, Paris Tableau has explored the themes of connoisseurship, the development of taste, and the formation and history of collections. This year we turn the spotlight on Baroque painting and the United States. The idea of focusing on the arrival of Baroque painting in the United States, from 1930 to the present day, via the leading figures among American collectors—some of whom are still relatively unknown—emerged in conversation with Keith Christiansen, Chairman of European Paintings at New York's Metropolitan Museum of Art. He set about the task with typical enthusiasm, working in collaboration with Anna Ottani Cavina, Honorary Director of the Fondazione Zeri, to contact the various speakers and put together the programme for this afternoon symposium. I should like to take this opportunity to warmly thank both of them—along with everyone speaking on Wednesday 11 November 2015.

As in previous years, this lecture series and its accompanying publication would not have been possible without the support of Daniel Thierry, Chairman of the Supervisory Board of GT Finance, whose generosity, year on year, has enabled us to publish state-of-the-art surveys examining specific areas of art history. We are enormously grateful to him for helping to establish Paris Tableau as a landmark event for the discussion and analysis of art and art history.

Maurizio Canesso
President of Paris tableau

La résurrection du Baroque au début du XXe siècle

Anna Ottani Cavina

Presidente onorario Fondazione Federico Zeri – Emeritus, Università di Bologna

Keith Christiansen et moi avons organisé ensemble ce colloque sur le Baroque. Keith étant un gentleman, et malgré l'importance du rôle qu'il a joué, il a insisté pour que je sois la première à prendre la parole. Keith et moi souhaitons remercier tous les experts qui ont accepté notre invitation et qui sont ici pour réfléchir à des problématiques et questions spécifiques en s'appuyant sur leur longue expérience de ce domaine spécialisé.

J'ouvrirai donc le bal en faisant la synthèse de cette période du début du XXe siècle durant laquelle quelques historiens de l'art firent bouger les lignes. Ils impulsèrent la redécouverte du Baroque et questionnèrent l'opinion générale qui prenait la Renaissance comme référence incontestable.

Il convient de faire une distinction claire entre ce qui allait se passer aux États-Unis – où les recherches et études qui déboucheraient sur une réévaluation du Baroque s'accompagnaient d'une campagne d'acquisition par les collectionneurs et les musées – et la situation en France et en Italie. Ici, au contraire, l'objectif était de bousculer les hiérarchies, de réorganiser musées et galeries, en sortant des sous-sols des Offices (en 1917-1918) le *Bacchus* du Caravage totalement négligé, ou en reconstituant la carrière d'un grand artiste déjà présent dans les musées français et, ce faisant, de le sortir de l'anonymat. Je pense à l'article d'Hermann Voss sur Georges de La Tour, rédigé en 1915. Il est dommage qu'au même moment, nombre des courageuses acquisitions suggérées par Voss lorsqu'il était directeur adjoint du Kaiser Friedrich Museum aient été rejetées par Berlin avant d'être par la suite achetées par des musées américains.

En ce qui concerne l'art italien à l'aube du XXe siècle, le maître incontesté de la « *quasi religion dominante de la Renaissance* » était le grand Bernard Berenson. Comme il est connu de tous, quelques images suffiront pour illustrer la nature radicale de ce tournant dans la recherche, qui s'observe de manière exemplaire dans les collections personnelles de Berenson et de son rival florentin Roberto Longhi.

Aujourd'hui encore, la constitution d'une collection historique est une ambition commune à de nombreux historiens de l'art en Italie. Les noms de Federico Zeri, Giuliano Briganti, Mario Praz, Alvar Gonzalez Palacios, et Mina Gregori viennent à l'esprit quand on évoque ceux qui ont cherché à emplir leurs demeures d'une concentration particulièrement élevée d'œuvres d'art. Les résidences aristocratiques de Berenson et de Longhi, toutes deux situées sur les collines de Florence, restent des modèles incontestés. Leurs villas sont à la fois des musées, des temples, et des monuments à leur vie et à leurs études. Il existe une sorte d'entrelacement très étudié entre le lieu et les œuvres d'art, entre les espaces architecturaux et la mise en scène. Berenson est arrivé en 1900 à la villa I Tatti, sur la colline de Settignano, peu de temps après son mariage avec Mary Pearsall Smith. Avec l'aide des architectes Geoffrey Scott et Cecil Pinsent, il a restauré la villa et l'a dotée d'un splendide jardin à l'italienne. Sa collection n'est pas seulement le portrait du collectionneur, comme on a tendance à le dire, mais qu'elle est également le miroir fidèle de ses études et recherches.

Fig. 1 – Le Caravage

Saint Jean-Baptiste dans le désert, 1603-1604, huile sur toile, Kansas City, The Nelson-Atkins Museum of Art

Saint John the Baptist in the Wilderness

Fig. 2 – Pier Paolo Pasolini (1922-1975)

Portrait de Roberto Longhi, 1975
Florence, Fondazione Roberto Longhi

Portrait of Roberto Longhi

D'ailleurs, il existe deux noyaux essentiels dans la collection Berenson qui coïncident avec ses premiers champs d'étude : les Primitifs sur fond or, florentins bien entendu, et la Renaissance, principalement en Toscane.

Il en va de même de la collection de Roberto Longhi, dont je voudrais présenter ici le portrait réalisé par Pier Paolo Pasolini en 1975, l'année même de l'assassinat de ce dernier (fig. 2). Longhi, qui n'eut jamais d'école ou d'élèves au sens littéral du terme, devint le *maestro* de prédilection de toute une génération de jeunes étudiants et une référence pour de grands auteurs italiens. Je pense notamment à Pasolini qui fut influencé dans ses films (*La Ricotta*, 1963 ; *Il Vangelo secondo Matteo*, 1964) par les interprétations de Longhi au point de choisir le Caravage comme modèle autobiographique ; d'autres exemples me viennent à l'esprit comme Giovanni Testori et Giorgio Bassani, auteur de *Il Giardino dei Finzi Contini*.

À l'instar de celle de Berenson, la collection de Longhi reflète fidèlement sa physionomie intellectuelle et ses domaines de prédilection. Les œuvres exposées dans sa villa florentine, Il Tasso, mettent clairement en évidence les nouveaux horizons post-Berenson, allant bien au-delà de ce qu'on avait appelé la « déification » de la Renaissance.

Au lieu de cela, nous avons la redécouverte du *Seicento* et l'exploration de la périphérie ou des marges de la culture italienne : les peintres de Bologne et ceux de l'Ombrie, des Marches et de la Lombardie, par opposition à la culture de grands centres comme Florence et Venise. Mais il n'est pas possible de comprendre pleinement le caractère novateur et l'audace des travaux de Longhi si on ne réalise pas à quel point le jeune étudiant – Longhi avait à peine 20 ans en 1910 – baignait dans les tendances modernistes de son temps : les Futuristes, le magazine d'avant-garde *La Voce*, et des artistes comme Filippo De Pisis, Carlo Carrà, et Giorgio Morandi, dont il partageait le désir de tout moderniser et de tout renouveler. Il s'agit là d'un aspect important, caractéristique du personnage de Longhi. N'oublions pas que c'était l'époque du manifeste futuriste de Marinetti, provocateur et paradoxal : « *... répudier Venise... assassiner le clair de lune* », et de *La Joconde* à moustache de Marcel Duchamp (1919)... Et c'était cette façon de vivre dans le présent, un présent anticonformiste et désacralisé, qui permit à Roberto Longhi de se lancer dans une analyse absolument révolutionnaire du passé.

La nouvelle frontière des études de Longhi se définit dans les années 1910, et bien avant que les critiques ne s'y intéressent. Ses contributions au *Seicento* – terrain de chasse inconnu et pratiquement vierge – paraissent à un rythme impressionnant : 1911, thèses sur *Le Caravage* (combien étaient-ils à connaître le Caravage en 1911 ?) ; 1913, *Mattia Preti* ; 1914, *Orazio Borgianni* ; 1915, *Battistello Caracciolo* ; 1916, *Gentileschi padre e figlia* ; 1917 *Bassetti e i veronesi*.

À l'époque, le XVIIᵉ siècle était un désert sombre et sans éclairage. Face à la complexité de l'histoire, les travaux de connaisseurs comme Longhi, Herman

Voss (Renaissance allemande, fin de la Renaissance toscane et surtout Baroque roman) et Charles Sterling, se sont révélés essentiels. L'exposition de Sterling en 1934, intitulée *Les Peintres de la réalité*, a marqué son époque pour l'importance qu'elle a revêtue pour le *Seicento*. Tout aussi décisif fut le rôle joué durant cette période par la littérature qui redécouvrait les extraordinaires richesses du XVIIᵉ siècle. Le personnage-clé de cette rédemption de la littérature italienne était le philosophe Benedetto Croce.

J'ai délibérément utilisé le terme « *Seicento* », bien que le mot de référence de ce colloque soit « Baroque ». En réalité, dans l'histoire de l'art italienne, le terme *Barocco* ne possède pas la même connotation élargie, inclusive que dans les pays anglo-saxons où le Baroque englobe l'art de tout le siècle. En Italie, dans le fleuve de l'art du *Seicento*, trois courants ont une identité bien distincte et le terme *Barocco* ne s'applique qu'à l'un d'eux : le premier est le Caravage et la peinture naturaliste (une expérience qui s'achève dans la troisième décennie du siècle) ; vient ensuite le classicisme, qui va des Carracci à Guido Reni, Poussin, Algardi etc. ; et enfin le *Barocco* qui, depuis les études de Giuliano Briganti et sa monographie sur *Pietro da Cortona* (1962), se concentre sur un phénomène très précis : il trouve dans Rubens — et vaguement dans Corregio — un de ses pères d'élection, mais établit clairement vers 1630 un mouvement historique bien identifiable (dont les protagonistes sont Bernini, Borromini, Pietro da Cortona, qui travaillent tous à Rome en même temps). D'ailleurs, *Milleseicentotrenta, ossia il Barocco* est le titre d'un important essai rédigé par Briganti (1951).

Cette précision a son intérêt car dans le cas de Longhi, ce sont surtout le Caravage et son cercle (des artistes italiens, français, espagnols et hollandais — l'essai de Longhi intitulé *Ter Brugghen e la parte nostra* est publié en 1927) qui reviennent sur le devant de la scène, accompagnés de découvertes qui sont aujourd'hui des jalons dans le catalogue des œuvres du Caravage. En prenant des exemples au hasard, je voudrais rappeler certaines attributions faites par Longhi de manière purement visuelle avant que soient trouvés les documents permettant

de les confirmer. Je n'ai choisi que trois cas. D'abord, le *Saint Jean Baptiste dans le désert* de Kansas City (fig. 1) dont Longhi reconnaît d'abord les qualités caravagesques dans la copie de Naples (1927) puis dans l'original (1943). Tout ceci avant que soit découvert l'inventaire de 1639 qui associe cette œuvre du Caravage au collectionneur génois Ottavio Costa. Ensuite, le *Jeune Bacchus malade* de la Galleria Borghese (1927), précédemment attribué à Ludovico Carracci. Enfin, une véritable « résurrection », qui restera à jamais imprimée dans la mémoire de Michel Laclotte. En 1959, il accompagne Longhi qui se rend en train de Paris à Rouen. Là, Longhi identifie comme étant un original du Caravage la *Flagellation* du musée des Beaux-Arts de Rouen, après qu'un examen attentif de la toile à la lumière oblique ait révélé une preuve décisive de son authenticité : la marque laissée par le bois du pinceau, qui était la méthode utilisée par le Caravage pour faire les contours, il ne faisait pas de dessins préparatoires.

Venons-en à des temps plus récents et à l'exposition mémorable et unique organisée par Longhi au Palazzo Reale, Milan. Nous sommes en 1951 et l'exposition s'intitule *Mostra del Caravaggio e dei caravaggeschi*. Elle est mémorable de par ses découvertes et nouvelles propositions, et unique de par la concentration d'œuvres d'exception, à commencer par les deux grandes toiles du Caravage de San Luigi dei Francesi à Rome, détachées des murs de la chapelle Contarelli et prêtées à Milan pour l'occasion ! Je ne crois pas que ce serait possible aujourd'hui.

J'ai voulu faire ce rapide tour d'horizon du parcours de Roberto Longhi sur une période de quelques années pour montrer à quel point sa redécouverte du *Seicento* fut dans un premier temps axée sur le Caravage et ses suiveurs. Nous, qui sommes arrivés bien plus tard et qui rêvions d'appartenir à la nouvelle vague de chercheurs « longhiens », avons inévitablement commencé par être des « caravagesques » tant nous étions fascinés par les horizons ouverts par Longhi. Mon premier ouvrage était d'ailleurs *Carlo Saraceni* (Milan, 1968), une monographie qui, je dois l'avouer, avait déjà été rédigée dans une courte note de ce texte crucial de 1943 que sont les *Ultimi studi sul Caravaggio e la sua cerchia* de Longhi. Les lignes directrices de mon travail (d'abord l'étude des liens entre les petites peintures de Saraceni et l'œuvre d'Adam Elsheimer et, durant la deuxième décennie, ses grands retables étudiés à la lumière de la relecture du Caravage) figuraient déjà dans les premières études de Longhi.

Par la suite, d'autres thèmes, des XVIIIᵉ et XIXᵉ siècles, m'ont fascinée mais je n'oublierai jamais la fièvre caravagesque qui nous avait alors portés à explorer le cercle, voire même la périphérie de ce monde. Dans mon cas, cela m'incita à reconstruire la vie et l'œuvre de Pietro Paolini, Angelo Caroselli, Marcantonio Bassetti, Pensionante del Saraceni, Jean Le Clerc, Orazio et Artemisia Gentileschi… tant il nous semblait que les découvertes de Longhi avaient régénéré, de manière irréversible, la méthode, une méthode fondée principalement sur le « *connoisseurship* ».

À propos de « *connoisseurship* », l'histoire du « Maître du Jugement de Salomon » est un cas extrême. En 1916, Longhi achète à Rome, au marquis Gavotti, cinq toiles caravagesques anonymes représentant les apôtres. C'était à l'époque des peintures peu coûteuses (fig. 3). Longhi reconnaît dans les toiles la main du maître anonyme du *Jugement de Salomon* de la Galleria Borghese qui est également l'auteur du *Reniement de Saint Pierre* de la Galleria Corsini.

En 2002, ce peintre dont les œuvres avaient été réunies par Longhi qui avait observé que les apôtres « *pouvaient être un exemple parallèle à Ribera* » fut identifié par Gianni Papi comme étant le jeune Jusepe de Ribera dans sa période romaine avant 1616. Mais le paradoxe, révélateur d'une méthode qui se fondait sur la prééminence de l'œil en dépit d'autres données objectives (documents et même signatures !) est celui-ci : Longhi voit une peinture de *Saint Pierre et Saint Paul* au musée des Beaux-Arts de Strasbourg, il lit l'inscription « *josephus ribera… academicus romanus* », il se fait donner la photo de l'œuvre, il reconnaît qu'elle fait partie de son groupe d'apôtres et, pour pouvoir insérer la toile dans la collection photographique du « Maître du Jugement de Salomon », il décide alors que l'écriture portant le nom de Ribera est apocryphe !

Entre-temps, le *Seicento*, l'ensemble du *Seicento* dans sa complexité et sa richesse, a fait tomber les barrières et il entre avec fracas dans les études du nouveau siècle. Le point de non-retour est marqué par deux événements qui ont changé la connaissance et la perception du siècle.

Le premier, en 1922, est la colossale exposition préparée par Ugo Ojetti à Florence sur la *Pittura italiana del Seicento e del Settecento*. Quand je la qualifie de « colossale », je n'exagère pas. Ojetti réunit quelque 1 300 œuvres au Palazzo Pitti ! L'exposition manque de coordination et elle inclut des toiles et des artistes dont on sait très peu de chose, mais elle a le mérite de présenter une avalanche d'œuvres qui font reculer les frontières de la connaissance.

Et puis, en 1924, Hermann Voss publie *Die Malerei des Barock in Rom*, suivi en 1928 de l'ouvrage très analytique de Nikolaus Pevsner et Otto Grautoff, *Barockmalerei in der romanischen Ländern*. Arrêtons-nous un instant sur le livre de Voss. Édité à Berlin et divisé en cinq sections, c'est la première histoire structurée de la peinture du *Seicento* à Rome, à une époque où Rome est encore le lieu de gestation d'une bonne partie de la culture européenne. Sans oublier que Voss était aussi un expert en peinture du XVIIᵉ siècle des collections viennoises et qu'en ce qui concerne le *Seicento*, il était l'auteur d'attributions éclatantes. Je voudrais revenir au cas dont j'ai parlé tout à l'heure, celui de Georges de La Tour. En 1915, année qui n'est pas vraiment propice à de tranquilles études – nous sommes en pleine la Première Guerre mondiale – Voss restitue à Georges de La Tour une peinture très célèbre, *Le Nouveau-né* du musée de Rennes, attribuée aux artistes les plus divers allant de Schalken à Le Nain. Il s'appuie sur deux nocturnes exposées à Nantes et signées de La Tour. Hermann Voss, toujours lui, est également responsable de la restitution à de La Tour de scènes diurnes (*Le Tricheur, Le Joueur de vielle, Saint Jérôme*). Si je rappelle des faits connus de tous, c'est simplement pour donner une idée de la fébrilité du travail effectué durant ces années et du calibre des personnes concernées. Voss sera encore un des rares spécialistes qui, appelé à Amsterdam (1943) pour examiner « le nouveau Vermeer » (*Le Lavement des pieds du Christ*, exécuté – comme on le saura par la suite – par Han van Meegeren), dira sans hésiter qu'il s'agit d'un faux. Chapeau !

Dans ce rapide tour d'horizon de la redécouverte du *Seicento* en Europe, qui ne peut être ni complet ni systématique mais qui tend simplement à souligner quelques épisodes cruciaux, l'histoire de la redécouverte de la tradition classique est légèrement différente. J'insiste sur le fait que nous parlons de l'Europe, parce qu'en ce qui concerne la résistance au Baroque aux États-Unis et les « fautes » de John Ruskin, Henry James, Walter Pater et Berenson, les études, conférences et universitaires (à commencer par Eric Zafran) ont mis en lumière cette histoire de manière très détaillée.

La particularité du courant classique du *Seicento*, celui qui de la Bologne des Carraci passa à la Rome de l'Idéal classique (le Dominiquin, Albani, Reni, Guercino…) est d'avoir assis sa renommée non seulement sur l'expérience directe de la peinture mais aussi sur la relance intellectuelle opérée par les écrivains et les théoriciens, qui débarrassèrent cette peinture de certains aspects emblématiques. En d'autres termes, *une certaine idée de Bologne* s'était affirmée vers la fin du *Seicento* grâce à la formulation théorique donnée par Giovan Pietro Bellori à cette école de peinture. C'est ce qui explique la longévité du culte des Bolognais, de *Felsina Pittrice* de Malvasia, et de l'extraordinaire engouement des collectionneurs pour le Dominiquin, en particulier dans l'Angleterre du début du XVIIIᵉ siècle. C'est peut-être une légende, mais la folie de lord Burlington qui se déclarait prêt à offrir toute une série de colonnes de marbre en échange de la *Madonna della Rosa* du Dominiquin, de l'église romane de Santa Maria della Vittoria, donne la mesure du prestige international dont jouissaient les Bolognais (contrairement au mouvement caravagesque du *Seicento*). Un destin parallèle à celui de Raphael durant la même période.

Fig. 3 – Jusepe de Ribera
Saint Thomas, vers 1612
Florence, Fondazione Roberto Longhi
Saint Thomas

Parmi les divers courants du *Seicento*, l'idéal classique a donc survécu plus longtemps, mais il finit lui aussi par s'écrouler face aux condamnations sans appel de Delacroix, des Goncourt, de Baudelaire, et de Ruskin : « *Une colère désespérée m'envahit quand j'entends que Eastlake achète des Guido* [Reni] *pour la National Gallery.* » Le 18 octobre 1946, quand la collection Ellesmere (anciennement Bridgewater) est mise en vente à Londres chez Christie's – elle comprend les extraordinaires chefs-d'œuvre bolognais provenant de la collection d'Orléans – les estimations incroyablement basses témoignent du désintérêt des amateurs pour le *Seicento*. On a probablement touché le fond. À partir de là, grâce à de nouvelles études, la peinture classique ne tarde pas à renaître de ses cendres, à l'instar du phénix, l'oiseau légendaire aux nombreuses vies.

Fig. 4 – *I Maestri del colore* : numéros sur Velázquez et sur Elsheimer

I Maestri del colore: issues on Velázquez and Elsheimer

En 1946, la collection Ellesmere est dispersée et, toujours à Londres, Denis Mahon publie *Studies on Seicento Art and Theory*. C'est un grand partisan de la relance de l'ensemble du *Seicento*, y compris du Caravage et de ses suiveurs. Mais le temps manque pour raconter une histoire connue de tous et qui aujourd'hui nous intéresse dans sa seconde vie, celle de la relance transatlantique du Baroque. Un rôle de premier plan sera joué par l'exode allemand, par la migration forcée de tant de piliers de la culture européenne, de Walter Friedlaender qui débarque à NYU en 1935 (ses *Caravaggio Studies* datent de 1955) à Rudolf Wittkower qui arrive à Columbia en provenance de Warburg en 1949. Et puis il y eut aussi des marchands géniaux, et des collectionneurs et chercheurs qui sont de précieux conseillers. Je pense à William Suida, Robert Manning, Bertina Suida (un rare nom de femme dans cette histoire toute masculine !), Julius Held, Julius Weitzner, Frederick Mont, etc., sans oublier bien sûr Anthony Clark et Federico Zeri et leur rôle important aux côtés de Bob Jones.

D'autres que moi parleront aujourd'hui du côté américain de l'histoire, y apportant des éléments que nous ne connaissons pas encore. En ce qui me concerne, je voudrais rester en Europe et continuer à procéder de manière intermittente et par petites touches, comme celle qui concerne les années soixante. Pour la société italienne, ce

sont les années du miracle économique et de la diffusion d'une culture de masse. Pour l'histoire de l'art, c'est une période bénie dans la mesure où les nouvelles classes qui entrent à pas feutrés dans la consommation culturelle se voient proposer la série *I Maestri del Colore*, en vente dans les kiosques à journaux (du jamais-vu à l'époque). Une série de 279 fascicules, vendus chaque lundi au prix très abordable de 300 lires.

I Maestri del Colore, publiés par Fratelli Fabbri Editori, ont changé l'échelle des valeurs de la peinture en général, pas seulement de l'art italien. Ils ont changé l'histoire de l'art bien avant les manuels scolaires. Ils ont fait connaître la beauté de la peinture grâce à de magnifiques reproductions grand-format Skirà, que peu d'images numériques actuelles réussiraient à égaler. Quant aux textes, strictement limités à 1 000 mots, ils étaient rédigés par des spécialistes qui étaient « obligés » de s'adresser à un large public, tout en traitant de recherches, de découvertes et de communication. Un objectif passionnant qui était aussi celui des mémorables expositions des années 1960.

Quel est le rapport avec le *Seicento* ? Je n'ai pas encore précisé que si l'éditeur de la série était Alberto Martini, un élève de Longhi qui mourut dans des circonstances tragiques en 1965, Roberto Longhi en personne avait travaillé à l'élaboration et à la rédaction de la *table des matières* de toute la série des Fratelli Fabbri. Les 279 artistes représentés bouleversaient les valeurs de l'époque. Si, pour le *Trecento*, par exemple, Maso di Banco faisait l'objet d'un fascicule complet et d'une attention pareille à celle du Duccio di Buoninsegna, pour le *Seicento*, Adam Elsheimer était mis sur un pied d'égalité avec Velázquez (fig. 4).

La série légitimait donc une perception différente du *Seicento*, en se fondant sur des études récentes, et – point encore plus important – elle faisait sortir l'histoire de l'art d'un cadre universitaire étriqué. Durant ces années, l'histoire de l'art s'ouvrit au grand public et elle commença même à avoir un impact sur les exigences culturelles de notre nation. C'est une histoire dont nous avons fait l'expérience personnelle ici en Italie (comme beaucoup d'autres, j'ambitionnais de contribuer à certains numéros de *Maestri del Colore*, surtout sur Georges de La Tour) et nous sommes restés nostalgiques de cette période.

Je parle de nostalgie parce que cet enthousiasme pour la culture caravagesque, classique et baroque qui a alimenté la résurrection du *Seicento* en Europe et par la suite les grandes contributions américaines – qui ont su valoriser le Baroque grâce aux enseignements universitaires, grâce à une génération de collectionneurs éclairés, grâce aux campagnes d'achat de quelques grands musées – a peut-être perdu aujourd'hui un peu de son panache, un peu de sa force motrice. Dans les universités américaines, où furent enseignés quelques grands spécialistes du Baroque, de Princeton à New York, je me demande si le *Seicento* n'est pas aujourd'hui sous-représenté (l'italien plus encore que le hollandais), et si l'attention portée à ce siècle n'a pas perdu de son intensité ?

C'est une question que je pose à nos intervenants aujourd'hui, mais que je ne voudrais pas teinter du moindre pessimisme pour deux raisons objectives qui nous invitent à croire au dynamisme de ce *Taste for Baroque Painting in America*, qui est le titre de Paris Tableau 2015. Au printemps dernier, j'ai eu l'occasion de passer quelque temps dans la patrie adoptive de Carlo Cesare Malvasia, le CASVA (Center for Advanced Study in the Visual Arts) de Washington D. C. Là, toute une équipe travaille sur 16 volumes d'une édition anglaise de Malvasia. La conversation reflète des préoccupations d'une actualité dramatique comme « Malvasia connaissait-il bien les *Vies* de Bellori ? ». Mais la *Felsina Pittrice* de Malvasia, ce jalon dans l'histoire de la critique, est aussi un monument durable à la peinture émilienne du *Seicento*. Avec ce grand projet en 16 volumes, Elizabeth Cropper a repris le flambeau pour relancer cette tradition. Plus proches de leurs sources, les universitaires susciteront un regain d'intérêt pour l'étude de ces artistes.

On remarque aujourd'hui la même situation d'éloignement du *Seicento* dans les politiques d'acquisition de nombreux musées américains. Mais heureusement, il reste une étoile au firmament : le Metropolitan Museum of Art de New York où Keith Christiansen a assuré comme personne la promotion du Caravage, des peintres bolognais et du Baroque. Notre héros est aujourd'hui parmi nous.

Je terminerai par une image qui est de bon augure pour la gloire de notre *Seicento* tant aimé : *Le Dominiquin reçu par le cardinal Aldobrandini à Frascati* (fig. 5). Cette grande toile (190 x 145 cm) est de François-Marius Granet. Elle fut peinte en 1822 pour le Salon de Paris de 1824. Dans cette scène des plus théâtrales, avec ouverture sur un nymphée et la cascade de la Villa Aldobrandini, Granet rendait hommage au personnage du Domenichino et à la fondation d'une pratique classique qui, selon Malvasia dans la *Felsina Pittrice*, avait ses racines dans la tradition bolognaise et son point culminant dans l'œuvre de Nicolas Poussin… *Creating the Taste for Baroque* !

Fig. 5 – François-Marius Granet

Le Dominiquin reçu par le cardinal Aldobrandini à Frascati, 1822, Frascati, Collezione Aldobrandini

Cardinal Pietro Aldobrandini Receiving Domenichino at Frascati

The Resurrection of the Baroque in the Early Twentieth Century

Anna Ottani Cavina (Presidente onorario Fondazione Federico Zeri – Emeritus, Università di Bologna)

Keith Christiansen and I have organized this meeting on the Baroque together, and Keith being a gentleman, in spite of the major role he has played, has insisted I speak first. Together Keith and I would like to thank all the scholars who have accepted our invitation to attend and are here today to focus on specific problems and questions, bringing to bear their long and specialized experience.

I shall set the ball rolling with a concise overview of that moment in the early years of the 20th century when a number of art historians set everything in motion by launching the rediscovery of the Baroque and questioning the consensus of opinion that saw the Renaissance as an unassailable cultural reference point.

We need to draw a clear distinction between what would happen later in the United States, where the research and studies that would lead to the reevaluation of the Baroque were accompanied by a raft of acquisitions by collectors and museums. Instead, here in France and Italy, for example, the objective was to overturn the hierarchies, to rearrange museums and galleries, for example by retrieving (in 1917-18) Caravaggio's *Bacchus* from the basement of the Uffizi where it lay unknown, or by reconstructing the career of a major artist already present in French museums and in doing so rescuing him from anonymity. I am thinking of Hermann Voss's 1915 article on Georges de La Tour. At the same time, unfortunately, many of the courageous acquisitions that Vos suggested during his term as Deputy Director of the Kaiser Friedrich Museum were rejected in Berlin, only to be purchased by American museums.

In terms of Italian art in the early 20th century, the undisputed high priest of the dominant and quasi "religion of the Renaissance" was the great Bernard Berenson. All those present today will know the details of that story. For this reason, I want to be pragmatic and simply use a few images to evoke the radical nature of this turning point in research, which is reflected, in an exemplary fashion, in the personal collections of Berenson and his rival in Florence, Roberto Longhi.

Even today, the idea of assembling a historic collection is an ambition shared by many art historians in Italy. Federico Zeri, Giuliano Briganti, Mario Praz, Alvar Gonzalez Palacios, and Mina Gregori are just a few of the names that come to mind of those who have filled their homes with a particularly high concentration of works of art. But the aristocratic residences of Berenson and Longhi, both on the hillside above Florence, remain inescapable models. Those villas are at once museum, temple and memorial to their lives and studies. There is a sort of interwoven quality, a deliberate nexus between place and artworks, between the architectural spaces and the installations. I have chosen a few images of Berenson and his villa I Tatti, on the hillside of Settignano. Berenson came to live here in 1900, soon after his marriage to Mary Pearsall Smith, and with the assistance of the architects Geoffrey Scott and Cecil Pinsent, he restored the villa and embellished it with a magnificent Italian garden.

Even from these few images, it is clear that the art collection not only allows us to see the collector himself, as the saying goes, but is also a faithful reflection of his studies and research. Indeed, there are two key elements in the Berenson collection that overlap with his primary fields of research: the Primitives with gold backgrounds, naturally from Florence, and the Renaissance, above all in Tuscany.

The same is true of Robert Longhi's collection, which I'd like to show here in a portrait drawn by Pier Paolo Pasolini in 1975, the same year that Pasolini was assassinated (fig. 2). Longhi, who never had a school and pupils in the literal sense of the term, became the *maestro* of choice for an entire generation of young scholars, and a reference point for leading Italian writers. A particular example that come to mind is Pasolini, who in his films (*La Ricotta*, 1963; *Il Vangelo secondo Matteo*, 1964) was influenced by Longhi's interpretations to the point that he chose Caravaggio as an autobiographical model; others include Giovanni Testori and Giorgio Bassani, author of *Il Giardino dei Finzi Contini*.

Longhi's collection, like that of Berenson, was a faithful reflection of his intellectual make-up and the principal focuses of his research. The works exhibited in his Florentine villa, Il Tasso, highlight, with extraordinary clarity, the new post-Berenson horizons, breaking through what has been termed the "deification" of the Renaissance. Instead we have the rediscovery of the Seicento and the exploration of the periphery, or margins, of Italian culture: the Bolognese painters and those from Umbria, Le Marche and Lombardy, as opposed to artists from major centers such as Florence and Venice. But the novelty and audacity of Longhi's work cannot be fully understood without recognizing how the young scholar – Longhi was only twenty in 1910 – was immersed in the modernist trends of his own time, those linked to the Futurists, to the avant-garde magazine *La Voce*, and to artists like Filippo De Pisis, Carlo Carrà, and Giorgio Morandi, with whom he shared the desire to modernize and renew everything. This is an important aspect that characterizes the figure of Longhi. We should not forget that these were the years of Marinetti's Futurist manifesto, both provocative and paradoxical: "We repudiate Venice… Let's murder the moonlight."

These were the years of Marcel Duchamp's mustached *Mona Lisa* (1919). It was this way of living in the present, an anti-conformist and de-sacralizing present, that allowed Roberto Longhi to embark on an absolutely revolutionary analysis of the past.

The new frontier of Longhi's research became clear in the 1910s, well ahead of any interest by the critics. His contributions to the Seicento, a fertile and almost virgin hunting ground, emerged with impressive rapidity: 1911, dissertation on *Caravaggio* (how many scholars were familiar with Caravaggio in 1911?); 1913, *Mattia Preti*; 1914, *Orazio Borgianni*; 1915, *Battistello Caracciolo*; 1916, *Gentileschi padre e figlia*; 1917, *Bassetti e i veronesi*.

At that time the 17th century was like a wilderness, dark and unlit. The work of these connoisseurs, from Longhi to Herman Voss (German Renaissance, late Tuscan Renaissance and above all the Roman Baroque) and Charles Sterling, has been essential in understanding the complexity of history. Sterling's 1934 exhibition *Les Peintres de la réalité* was epoch-making in its importance for the Seicento. But literature too during this period played a driving role in rediscovering the extraordinary riches of the 17th century. The pivotal figure in this reevaluation, with regard to Italian literature, was the philosopher Benedetto Croce.

I have deliberately used the word "Seicento", although the keyword in the title of this paper is "Baroque." But in Italian art history the term "*Barocco*" does not have that broad, inclusive connotation that it has in the English-speaking world, where the Baroque encompasses an entire century of art. For us Italians, there are three distinct currents in the fast flowing river of Seicento art, and only one is known as *Barocco*: the first is Caravaggio and naturalist painting (an experience that ends in the third decade of the century); then there is classicism, which extends from the Carracci to Guido Reni, Poussin, Algardi, etc.; and lastly, there is the *Barocco*, which after the studies of Guiliano Briganti and his monograph on *Pietro da Cortona* (1962) focuses on a very precise phenomenon: one of its preferred forerunners was Rubens – and more distantly Correggio – but it assumed the awareness of a clearly identifiable historical movement in around 1630 (led by Bernini, Borromini, Pietro da Cortona, all active in Rome at the same time). Indeed, *Milleseicentotrenta, ossia il Barocco* is the title of an important article by Briganti (1951).

This needs to be underlined because, in Longhi's case, it was above all Caravaggio and his circle (Italian, French, Spanish, and Dutch artists; Longhi's study entitled *Ter Brugghen e la parte nostra* was published in 1927) who were returned to the limelight, accompanied by discoveries that have become benchmarks in the catalogue of Caravaggio's works. Taking a few examples at random, it is worth recalling attributions made by Longhi on purely visual grounds, before the documents were found to confirm them. I have chosen three cases only. First the *Saint John the Baptist in the Wilderness* in Kansas City (fig. 1) whose caravaggesque qualities were recognized by

Longhi first in the copy in Naples (1927) and then in the original (1943) – all of this prior to finding the 1639 inventory that associated Caravaggio's work with the Genoese collector Ottavio Costa. And again, *Young Sick Bacchus* from the Galleria Borghese (1927), formerly attributed to Ludovico Carracci. And lastly, a genuine "resurrection", one that remained imprinted in Michel Laclotte's memory after travelling with Longhi in 1959 on the train from Paris to Rouen, where the latter identified the *Flagellation* in the Musée des Beaux-Arts as an autograph work. After a careful examination of the canvas under oblique light Longhi seized the decisive proof of its authenticity in the deep marks left as an outline by the brush handle.

This brings us to the recent past, and to the memorable, unrepeatable exhibition organized by Longhi in Palazzo Reale, Milan: the year was 1951 and the exhibition was *Mostra del Caravaggio e dei caravaggeschi*. It was memorable for its discoveries and new proposals, unrepeatable for the concentration of outstanding works, starting with the two paintings from San Luigi dei Francesi, Rome, detached from the walls of the Contarelli chapel and lent to Milan for the occasion! I don't think that would happen today.

I wanted to give this rapid overview of Roberto Longhi's work over the space of a few years in order to point out how his rediscovery of the Seicento focused initially on Caravaggio and his followers.

For those of us, including myself, who came many years later and dreamed of being part of the new wave of Longhian research, we too inevitably began by being "caravaggeschi" because the horizons opened by Longhi were so fascinating. My first book was on *Carlo Saraceni* (Milan, 1968), a monograph that – I must confess – had already been written in a short note in that crucial text of 1943, Longhi's *Ultimi studi sul Caravaggio e la sua cerchia*. The broad outlines of my work (first the consideration of the relationship between Saraceni's small paintings and the work of Adam Elsheimer, and later, in the second decade, his large altarpieces seen in the light of the rereading of Caravaggio) were already there in Longhi's earlier studies.

Later I was fascinated by other topics, both in the 18th and 19th centuries, but I shall never forget the febrile excitement for everything Caravaggesque that prompted us to explore even the outer periphery of that circle – reconstructing, in my case, the activities and works of Pietro Paolini, Angelo Caroselli, Marcantonio Bassetti, Pensionante del Saraceni, Jean Le Clerc, Orazio and Artemisia Gentileschi – given that we thought that Longhi's discoveries had also, once and for all, regenerated the method. A method founded primarily on connoisseurship.

The litmus case was that of the "Master of the Judgment of Solomon." In 1916 Longhi purchased five Caravaggesque paintings by an anonymous artist from the Marchese Gavotti in Rome. All the paintings were of the Apostles and at the time were not very expensive (fig. 3). Longhi recognized the canvases as being by the anonymous master of *The Judgment of Solomon* in the

Galleria Borghese who had also painted *The Denial of Saint Peter* in the Galleria Corsini.

In 2002 this painter, whose works had been pieced together by Longhi with the observation that the Apostles "might be examples parallel to Ribera", was identified by Gianni Papi as the young Jusepe de Ribera, during his Roman period prior to 1616. But the paradox, the action that gainsaid a method based on the preeminence of the eye rather than on objective findings (including documents and even signatures!), was that Longhi saw a painting of *Saint Peter and Saint Paul* in the Musée des Beaux-Arts in Strasbourg, read the inscription "*josephus ribera… academicus romanus*", took a photograph, recognized that the painting belonged to the group of Apostles, but in order to include it in his photographic collection of works by the "Master of the Judgement of Solomon", decreed that the inscription with Ribera's name was apocryphal!

By this point, however, the Seicento, in all of its complexity and richness, had burst through the barriers and erupted into the studies of the new century. The point of no-return was marked by two events that completely altered the knowledge and perception of the century.

The first, in 1922, was the colossal exhibition curated by Ugo Ojetti in Florence *Pittura italiana del Seicento e del Settecento*. I say colossal and I'm not exaggerating. Ojetti assembled some 1,300 paintings at Palazzo Pitti! It was an exhibition that lacked coordination and included paintings and artists about which very little was known. Yet it served up, one might say, an array of works that helped to push back the frontiers of knowledge.

And then in 1924, Hermann Voss published *Die Malerei des Barock in Rom*, followed in 1928 by Nikolaus Pevsner and Otto Grautoff's highly analytical volume, *Barockmalerei in der romanischen Ländern*. But let us dwell for a moment on Voss's book, which, printed in Berlin, was subdivided into five sections, becoming the first structured history of 17th-century painting in Rome, when Rome was still the matrix for much of European culture. We should not forget that Voss was also an expert on 17th-century painting in the Viennese collections, and had made various striking attributions for the Seicento. I would like to return to the case of Georges de La Tour, which I mentioned earlier. In 1915, a year that was not exactly conducive to quiet study – this was the middle of the First World War – Voss returned a very famous painting to La Tour: *Le Nouveau-né* in the Musée des Beaux-Arts in Rennes, which had been attributed to a variety of artists ranging from Schalken to Le Nain. He did so on the basis of the two paintings in Nantes signed by La Tour. Both were nocturnals. However, the same Hermann Voss was also responsible for returning daylight paintings to La Tour (e.g. *The Cheat, The Hurdy-gurdy Player, Saint Jerome*). I am going over well-known ground, but it helps to give us an idea of the febrile work of those years and the caliber of the protagonists. Voss would also be one of the few experts who, having been summoned to Amsterdam (1943) to inspect the 'new Vermeer' (*Washing the Feet of Christ in the House of Mary and Martha* painted, as would later be established, by Han van Meegeren), declared without hesitation that it was a fake. *Chapeau!*

In this quick survey of the rediscovery of the Seicento in Europe, which is neither comprehensive nor systematic but only intends to highlight a number of key passages, the rediscovery of the classic tradition follows a slightly different path. Let me stress that we are talking of Europe, because in the United States, studies, conferences and scholars (starting with Eric Zafran) have illuminated in minute detail this story of the resistance to the Baroque, and the "blame" that can be attributed to John Ruskin, Henry James, Walter Pater and Berenson.

The particular nature of the classic movement of the Seicento, the one that from Bologna and the Carracci moved to Rome and the Classical Ideal (Domenichino, Albani, Reni, Guercino, etc.), is that its fame was founded not only on the direct experience of painting but also on the intellectual revival brought about by writers and theorists, who stripped away some of the emblematic aspects from that form of painting. Or to put it differently, *a certain idea of Bologna* had become established by the late 17th century thanks to the theoretical formulation given by Giovan Pietro Bellori to that school of painting. This explains the continued reverence for Bolognese artists and the extraordinary appeal of Domenichino to collectors, especially in early 18th-century England. It might be legendary, but Lord Burlington's wild enthusiasm, which prompted him to offer an entire series of marble columns in exchange for removing Domenichino's *Madonna della Rosa* from the Roman church of Santa Maria della Vittoria, serves as an indication of the international prestige attained by the Bolognese artists (quite the opposite to the caravaggesque Seicento). It was a success that mirrors and reflects that of Raphael during the same period.

Among the various currents of the Seicento, the classical ideal was the longest to survive, but it too collapsed under the outright condemnation of, Delacroix, the Goncourts, Baudelaire and Ruskin: "I am put into a desperate rage when I hear that Eastlake buys Guidos [Guido Reni] for the National Gallery." On 18 October 1946, when the Ellesmere collection (formerly Bridgewater) was bought for London at Christie's, including the marvelous Bolognese masterpieces from the Orléans collection, the depths to which the classical Seicento had plunged were made clear by their extraordinarily low valuations. This was probably the lowest point. From here, with the impetus of new studies, classical painting was ready to rise up from its own ashes, precisely like the phoenix, the legendary bird that lives many lives.

In 1946, as well as the dispersal of the Ellesmere collection, London saw the publication of *Studies on Seicento Art and Theory* by Denis Mahon, the great advocate for the relaunch of the entire Seicento, including Caravaggio and his followers. But there is no time now to tell a story that has been told many times before and which today interests us for its second life, namely the transatlantic revival of the Baroque. In the US a leading part would also be played by the German exodus, the forced migration of so many stalwarts of European culture, from Walter Friedlaender who came to NYU in 1935 (his *Caravaggio Studies* dates from 1955) to Rudolf Wittkower who came to Columbia from the Warburg in 1949. There were also the brilliant dealers, collectors and scholars who were valuable advisors; I am thinking of William Suida, Robert Manning, Bertina Suida (a woman's name for once in this all-male history!), Julius Held, Julius Weitzner, Frederick Mont, etc., as well as, of course, Anthony Clark and Federico Zeri in an important role alongside Bob Jones.

Others will talk today about the American side of the story; I would like to remain in Europe and to continue in this intermittent fashion to highlight key episodes. One of these concerns the 1960s. For Italian society these were the years of the economic boom and the spread of mass culture. For art history these were golden years because the new classes who tentatively approached cultural consumption had access to the series entitled *I Maestri del Colore*, which was sold at newspaper kiosks (something that was unheard of at the time). Running to a total of 279 installments, the series went on sale every Monday at the affordable price of 300 lire.

I Maestri del Colore, published by Fratelli Fabbri Editori, changed the hierarchy of values for painting in general, not just Italian art. They changed art history well before textbooks. They introduced the public to the beauty of painting using the fabulous large-format reproductions by Skirà, which few of today's digital images would be able to match. As for the texts, they were strictly limited to a thousand words and were written by qualified scholars who were "obliged" to address a mass audience and to bring together research, discovery, and communication. The overall aim was to excite interest and this publishing phenomenon coincided with the memorable exhibitions of the 1960s.

What has all this to do with the Seicento? I have not yet mentioned that while the series editor was Alberto Martini, Longhi's pupil who died in tragic circumstances in 1965, Roberto Longhi himself had worked on the layout and drew up the contents list for the entire series. Its 279 artists represented a decisive reversal of current values. For instance, in the Trecento, Maso di Banco became the focus of an entire issue, on a par with Duccio di Buoninsegna, and in the Seicento, Adam Elsheimer was promoted to standing alongside Velázquez (fig. 4).

The series gave legitimacy to a different perception of the entire Seicento in light of recent studies, and – what was even more important – it brought the history of art out of the academic closet. These were the years when art history was opened up to the general public and even began to impact the cultural demands of our nation. It is a story that here in Italy we experienced personally (like many others, it was one of my ambitions to write some of the issues of *Maestri del Colore*, primarily on Georges de La Tour) and we now look back on it with great nostalgia.

Nostalgia because that enthusiasm for the caravaggesque, classicist and baroque culture that fueled the resurrection of the Seicento in Europe and later the great American contributions that enhanced the Baroque through university courses, through a generation of enlightened collectors, through the acquisitions made by leading museums, has perhaps now lost a little of its dazzle, its driving force. In American universities, where some of the great scholars of the Baroque taught, from Princeton to New York, I wonder whether the 17th century is not now under represented (the Italian Seicento even more so than the Dutch) and whether the focus on that century has, one might say, diminished?

It's a question that I put to our speakers today, but one from which I would like to remove any pessimistic undertone for two objective reasons that encourage us to look to the vitality of that *Taste for Baroque Painting in America*, which is the title of Paris Tableau 2015.

Last spring, I had an opportunity to spend time in Carlo Cesare Malvasia's new homeland. Yes, I normally live in Bologna where, in the wake of the great *Biennali d'arte antica* and the studies that these have produced, we tend to think that Malvasia and the Carracci are still with us every day, sometimes a little too much so! Yet, it is clear that among the younger generations there are few who are continuing these studies or indeed studies on the age of the Baroque in general. So I spent time in Malvasia's new heartland, which is CASVA (the Center for Advanced Study in the Visual Arts) in Washington D. C., where an entire team is working on sixteen volumes of an English edition of Malvasia. At CASVA, the conversation turns to a discussion of how well Malvasia knew Bellori's *Lives*, or other particularly relevant topics. Yet Malvasia's *Felsina Pittrice*, that milestone in the history of criticism, is also a lasting monument to Emilian painting in the Seicento. In this ambitious sixteen-volume project, Elizabeth Cropper has taken up the baton to relaunch this tradition because bringing scholars closer to the sources will stimulate renewed studies of these artists.

The same can be said of many American museums whose acquisitions policies have moved away from the 17th century. But fortunately there is at least one shining star in this respect, namely The Metropolitan Museum of Art in New York where Keith Christiansen has done more than anyone else to promote Caravaggio, the Bolognese painters, and the Baroque. Our hero is with us today.

Let me end with an image that serves as a good augury for the glory of our beloved Seicento: *Cardinal Pietro Aldobrandini Receiving Domenichino at Frascati* (fig. 5). This large painting (74¾ x 57 1/8 in.; 190 x 145 cm) is by François-Marius Granet and was painted in 1822 for the Paris Salon of 1824. This highly dramatic setting, looking out to the nymphaeum and the water cascade of the Villa Aldobrandini, pays homage to Domenichino and to the foundation of a classical practice that, according to Malvasia in *Felsina Pittrice*, was rooted in Bolognese tradition and reached its apex in the work of Nicholas Poussin… *Creating the Taste for Baroque*!

Les collections de peinture baroque aux États-Unis : un point de vue européen

Stéphane Loire
Conservateur en chef, département des Peintures, musée du Louvre

Pour l'historien de la peinture baroque italienne, la connaissance des collections des musées américains est depuis longtemps indispensable. Malgré la dispersion géographique de ces institutions et le petit nombre de tableaux italiens des XVIIᵉ et XVIIIᵉ siècles que certaines conservent, il s'agit souvent d'œuvres de grande qualité dont les musées européens n'ont, en dehors bien sûr de l'Italie, pas toujours l'équivalent (fig. 1). Il est remarquable en outre que les différents foyers régionaux y soient dans l'ensemble très bien représentés. Plus surprenant encore, une comparaison du nombre d'œuvres des principaux peintres de cette période dans les musées de quatre pays d'Europe possédant de grandes collections historiques, c'est-à-dire la France, l'Allemagne, l'Espagne et la Grande-Bretagne, avec ceux des États-Unis, montre qu'elles y sont presque toujours plus nombreuses (voir le tableau à la fin du texte)[1].

Pour comprendre ces différences, il faut revenir sur les spécificités des collections européennes où la plupart des œuvres sont arrivées anciennement. En France, la richesse des fonds des musées tient pour une part à leur présence significative dans la collection de Louis XIV, puis aux saisies révolutionnaires opérées en France et en Italie. Elle est aussi le résultat de la création de nombreux musées au XIXᵉ siècle, et du rôle majeur joué alors par les donateurs[2]. Il convient de souligner enfin l'impor-

tance non négligeable des acquisitions du XXᵉ siècle. Les collections publiques françaises rassemblent à présent entre 3 000 et 4 000 peintures baroques mais, à côté du Louvre, qui en détient un peu plus de 470[3], il s'agit d'ensembles de qualité inégale. La plupart sont dispersés dans des églises et plusieurs centaines de musées dans lesquels, sur dix tableaux, deux au moins sont des copies, deux ou trois sont médiocres et quatre ou cinq seulement sont vraiment dignes d'intérêt.

En Allemagne, les fonds de peinture baroque sont parfois issus de commandes passées au XVIIIᵉ siècle mais ils proviennent surtout de grandes collections princières réunies à cette époque, notamment à Brunswick, Cassel, Dresde ou Munich. Lorsqu'elles ont été à l'origine de musées publics, elles ont souvent été complétées grâce à des acquisitions à la fin du XIXᵉ siècle et au début du XXᵉ siècle, en particulier à Berlin, ou parfois plus récemment, comme à Stuttgart dont la collection s'est notablement enrichie dans la seconde moitié du XXᵉ siècle[4].

En Espagne, la présence importante de la peinture baroque italienne tient aux arrivées nombreuses d'œuvres contemporaines aux XVIIᵉ et XVIIIᵉ siècles, et à la permanence de la collection royale restée pratiquement intacte depuis[5]. Avec leurs dépôts dans de nombreuses institutions espagnoles, le musée du Prado et le Patrimonio Nacional sont sans doute les deux institutions qui réunissent le plus grand nombre de tableaux baroques.

Quant à la Grande-Bretagne, la collection royale abrite depuis le XVIIᵉ siècle des ensembles majeurs de peinture vénitienne[6]. Il faut souligner

Giambattista Tiepolo

Le Triomphe de Marius (détail), 1726-1729, huile sur toile, 558,8 x 326,7 cm, New York, The Metropolitan Museum of Art (65.183.1)

The Triumph of Marius

21

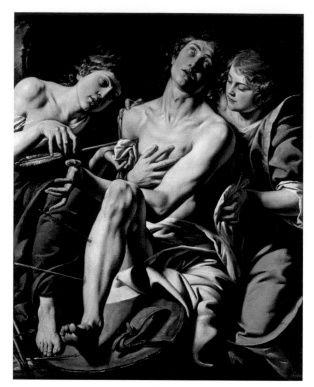

Fig. 1 – Tanzio da Varallo

Saint Sébastien, vers 1620-1630, huile sur toile, 117,3 x 93,7 cm, Washington, National Gallery of Art, Samuel H. Kress Collection (1939.1.191)

Saint Sebastian

d'autre part la richesse exceptionnelle des collections privées rassemblées aux XVIIIᵉ et XIXᵉ siècles dans les *country houses*. Au XXᵉ siècle, certaines ont pu acquérir un caractère public en étant reprises par le National Trust mais d'autres, bien plus nombreuses, ont été dispersées en ne profitant que dans une proportion assez faible aux musées britanniques[7].

Aux États-Unis, la plupart des ensembles de peinture baroque n'ont été réunis qu'à partir du début du XXᵉ siècle[8]. Si des volontés locales et des générosités individuelles ont permis leur apparition dans la plupart des grandes villes ou dans de nombreuses universités, trois facteurs spécifiques ont favorisé leur constitution souvent rapide : l'essor progressif du goût pour la peinture baroque auprès de collectionneurs individuels, le rôle essentiel

joué par les expositions et les historiens d'art, et un marché de l'art particulièrement actif.

À la fin du XIXᵉ siècle et jusque vers 1920, les formidables fortunes bâties aux États-Unis ont été à l'origine de collections importantes. Certaines furent rapidement accessibles au public, lorsque ceux qui les détenaient voulaient faire profiter l'ensemble des citoyens américains des richesses qu'ils avaient pu acquérir dans un pays jeune, offrant d'extraordinaires possibilités de faire fortune. D'autre part, leurs collections permettaient de révéler à leurs compatriotes la culture et les richesses d'art du vieux continent, où beaucoup n'auraient jamais la possibilité d'aller. Pour la peinture, ces amateurs fortunés s'inspiraient du grand goût découvert lors de leurs voyages en Europe et ils recherchaient avidement les tableaux de la Renaissance italienne, du XVIIᵉ siècle hollandais et flamand, du XVIIIᵉ siècle anglais, ou encore du XIXᵉ siècle français. En revanche, à l'exception de quelques artistes appréciés pour leurs qualités décoratives, Canaletto, Guardi ou Tiepolo, les peintres du baroque italien étaient négligés. Dans ce pays majoritairement protestant, un tel manque d'intérêt tient sans doute à un ancien préjugé envers l'art de la Contre-Réforme catholique. D'autre part, la redécouverte des peintres « primitifs » en Europe dans la seconde moitié du XIXᵉ siècle avait entraîné un discrédit de ces artistes qui s'étendit aux États-Unis, sous l'influence notamment de l'écrivain et critique d'art anglais John Ruskin. Charles Eliot Norton, qui enseigna l'histoire de l'art à l'université de Harvard de 1875 à 1898, transmit cette opinion négative à plusieurs générations d'amateurs américains et Bernard Berenson, l'un de ses plus fameux disciples, pouvait écrire en 1907 : « *Bien qu'elle ait produit depuis trois derniers siècles et demi des milliers de peintres habiles, et même de peintres charmants, l'Italie n'a plus eu un seul artiste vraiment grand.* »[9] Berenson, qui était le conseiller d'importants collectionneurs américains comme Henry Clay Frick, Isabella Stewart Gardner, Andrew Mellon ou John Pierpont Morgan, leur fit partager son admiration pour la peinture italienne des XIVᵉ et XVᵉ siècles, ce qui eut pour conséquence sa représentation exceptionnelle dans les musées américains issus de leurs collections comme la Frick Collection et la Morgan Library de New York, le Gardner Museum de Boston, ou la National Gallery of Art de Washington. Mais ils adoptèrent aussi son opinion négative de la peinture italienne des XVIIe et XVIIIe siècles qui est souvent bien moins présente dans ces institutions, voire inexistante.

En Europe, un intérêt croissant pour l'étude de la peinture baroque italienne s'est affirmé au début du XXe siècle. En 1915, Henrich Wölfflin avait publié ses *Principes fondamentaux d'histoire de l'art*, un ouvrage traduit en anglais en 1932 qui inaugurait une approche formelle de l'art baroque rompant avec les préjugés courants sur sa nature réputée décadente. Et en 1922, la *Mostra della pittura del Sei e Settecento* qui se tenait à Florence,

au Palazzo Pitti, offrait le plus vaste rassemblement de peintures des XVIIe et XVIIIe siècles jamais réuni, avec plus de 1 000 tableaux d'églises et de collections publiques ou privées. Elle joua un grand rôle pour la redécouverte du Caravage mais permit aussi celles de dizaines d'artistes alors négligés, en révélant l'extraordinaire richesse de cette période au grand public, comme aux historiens d'art et aux marchands. Suivie par de grandes synthèses mettant en valeur les divers foyers régionaux et de nombreuses études de détail pour lesquelles des spécialistes italiens, allemands ou britanniques se montrèrent particulièrement actifs, cette exposition eut des conséquences durables, tant pour stimuler l'intérêt des érudits et du marché que pour favoriser les acquisitions des musées et les expositions, notamment aux États-Unis.

Fig. 2 – Pierre de Cortone

Agar et l'ange, vers 1637-1638, huile sur toile, 114,3 x 149,4 cm, Sarasota, The John and Mable Ringling Museum of Art (SN132)

Hagar and the Angel

Dans les années vingt et trente, si les grands musées de la côte Est restaient à l'écart de cet intérêt croissant pour la peinture baroque, des collectionneurs au goût excentrique lui accordaient une place importante. Il s'agit avant tout de l'entrepreneur de cirque John Ringling (1866-1936), qui acquit en six ans plus de 600 tableaux italiens afin de les rassembler dans un musée ; ouvert au public à Sarasota, en Floride, dès 1931, il offre toujours l'un des plus beaux ensembles de peinture baroque que l'on puisse voir aux États-Unis (fig. 2). Quant au magnat de la presse William Randolph Hearst (1863-1951), peu de ses tableaux de cette époque demeurent à Hearst Castle, mais il offrit quelques-uns des meilleurs au Los Angeles County Museum of Art. En 1927, après avoir fait fortune en créant une chaîne de grands magasins bon marché (« *five-and-ten cent stores* ») à travers tout le pays, Samuel H. Kress (1863-1955) achetait son premier tableau italien lors d'un voyage en Europe.

Si son goût personnel lui fit préférer les peintures à fond d'or et de la Renaissance, il en acquit aussi des XVIIe et XVIIIe siècles de manière à offrir une présentation complète de l'histoire de la peinture en Italie. Sans doute le plus grand collectionneur d'art ancien qu'aient connu les États-Unis, il fut aussi l'un des plus généreux. Près de 400 tableaux de sa collection vinrent rejoindre la National Gallery of Art de Washington ouverte en 1941, grâce à un don essentiel d'Andrew Mellon, tandis qu'au cours des années cinquante et soixante, la fondation portant son nom en envoya plus de 900 autres aux « *Regional Galleries* » des musées de 18 villes, ou aux « *Study Collections* » de 23 universités à travers le pays. Mais s'il avait été décidé de conserver pour la National Gallery les plus beaux tableaux de la Renaissance de la collection Kress, John Walker, le premier conservateur en chef puis directeur du musée, qui était un disciple de Berenson, avait écarté la plupart des tableaux

Fig. 3 – Pompeo Batoni

Le Triomphe de Venise, 1737, huile sur toile, 174,3 x 286,1 cm, Raleigh, North Carolina Museum of Art, gift of the Samuel H. Kress Foundation (GL.60.17.60)

The Triumph of Venice

baroques ; et c'est ainsi que certains chefs-d'œuvre dont la National Gallery n'a pas toujours l'équivalent allèrent dans des musées régionaux (fig. 3)[10].

C'est en 1929 que le Fogg Art Museum de Cambridge organisait la première exposition de peinture baroque aux États-Unis[11]. Destinée à accompagner une série de cours sur ce sujet à l'université de Harvard[12], elle inaugurait une riche tradition de présentations temporaires qui eurent lieu désormais chaque année à travers tout le pays, à un rythme peut-être plus soutenu qu'en Europe à la même époque. La plupart se tenaient dans des musées mais d'autres avaient lieu dans des galeries et mêlaient des œuvres de collections publiques et privées à celles du marché, partageant la même ambition de faire connaître la peinture italienne des XVIIe et XVIIIe siècles. S'il s'agissait d'abord d'expositions généralistes, la fin des années trente vit les premières expositions monographiques consacrées à des peintres parfois « secondaires » mais bien représentés aux États-Unis comme Giuseppe Maria Crespi (1937) et Alessandro Magnasco (1938, 1943, 1967), avant Salvator Rosa (1948, 1979), Domenico Fetti (1950), Luca Giordano (1964), Sebastiano Ricci (1965) ou encore Bernardo Strozzi (1967). Au cours des années trente, l'installation aux États-Unis d'historiens d'art européens, notamment ceux venus d'Allemagne pour échapper aux persécutions nazies, bouleversa l'approche de ce domaine parce qu'ils étaient souvent plus ouverts que leurs homologues américains, britanniques et français. Walter Friedlaender, professeur à New York University à partir de 1935, qui publia en 1955 ses *Caravaggio studies*, puis Rudolf Wittkower qui enseigna à Columbia University de 1956 à 1969 et livra une synthèse restée inégalée sur l'art du baroque en Italie[13], furent parmi les plus influents ; c'est à une génération d'historiens d'art formée dans leur sillage que l'on doit en particulier des ouvrages de référence sur Baciccio (1964), Annibal Carrache (1971), Orazio Gentileschi (1981), le Dominiquin (1982) ou Guido Reni (1984)[14].

Dès les années trente, des galeries installées à New York (Durlacher Brothers, F. Kleinberger & Co…) se spécialisaient dans ce domaine, exposant et vendant des tableaux baroques qui n'intéressaient pas encore des marchands plus en vue mais à partir des années cinquante, le marché de l'art devint particulièrement favorable pour les collectionneurs. En Europe et notamment en Grande-Bretagne, les bouleversements provoqués par la Seconde Guerre mondiale entraînaient la dispersion de nombreuses collections aristocratiques : le marché de la peinture ancienne fut alimenté avec des afflux d'œuvres d'une ampleur inconnue jusqu'alors et à des prix souvent avantageux. Très présents dans les ventes de Londres, des marchands installés à New York (Nicholas Acquavella, Oscar Klein, David Koetser, Frederick Mont, Julius Weitzner…) les revendaient à des collectionneurs passionnés qui constituèrent en quelques années des ensembles où la peinture baroque italienne était brillamment représentée : ceux réunis alors par Bob Jones, Jr. et Walter Chrysler, Jr. ont été à l'origine de remarquables musées portant leurs noms à Greenville (Caroline du Sud) et Norfolk (Virginie), tandis que la collection de Luis Ferré permit la fondation du Museo de Arte de Ponce (Porto Rico)[15]. Au cours des années soixante, les enrichissements des musées américains étaient tels qu'il leur était devenu possible, à partir de leurs seules ressources, de consacrer des expositions spécifiques à des foyers régionaux, Naples (Sarasota, 1961), Gênes (Dayton, 1962) ou Florence (New York, 1969)[16]. Dans les années soixante-dix et quatre-vingt, de nouveaux ensembles de peinture baroque significatifs sont devenus accessibles dans des musées issus des collections personnelles de J. Paul Getty à Malibu puis Los Angeles, et de Norton Simon à Pasadena, ou encore au Kimbell Art Museum de Fort Worth ouvert en 1972.

Pour certains artistes jusque-là méconnus, comme Bernardo Cavallino, Giulio Cesare Procaccini ou Gaspare Traversi, les musées américains ont joué dans la seconde moitié du XXe siècle un rôle pionnier en acquérant leurs œuvres avant qu'elles n'entrent dans les grandes institutions européennes, en particulier au musée du Louvre[17]. Pour d'autres déjà reconnus, les mêmes années ont permis d'étoffer leur présence, au point qu'ils y figurent désormais avec des tableaux plus nombreux que dans les musées

Fig. 4 – Le Caravage

Les Tricheurs, vers 1595, huile sur toile, 94,2 x 130,9 cm, Fort Worth, Kimbell Art Museum (AP 1987.06)

The Cardsharps

français, allemands, britanniques ou espagnols. De ce point de vue, l'exemple du Caravage est particulièrement révélateur du dynamisme de la politique d'acquisition des musées des États-Unis, en raison bien sûr de moyens d'acquisition souvent inconnus des musées européens, mais aussi d'une attention soutenue aux mouvements de l'érudition et aux redécouvertes du marché de l'art. En 1943, la clairvoyance de Chick Austin, le directeur du Wadsworth Atheneum de Hartford, permettait l'achat de *L'Extase de saint François*, le premier tableau sûr de l'artiste à faire son entrée dans une collection américaine. Deux autres furent acquis en 1952 par le Metropolitan Museum of Art de New York et le Nelson-Atkins Museum de Kansas City, à la suite de l'importante exposition consacrée à l'artiste lombard qui s'était tenue à Milan l'année précédente. Quant aux quatre suivants, parvenus depuis à Detroit (1973), Cleveland (1976), Fort Worth (1987, fig. 4) et New York (1997), ils se trouvaient encore en Europe peu de temps avant leurs acquisitions.

Le vif intérêt qu'a suscité la peinture baroque italienne aux États-Unis à partir des années trente va-t-il se maintenir au XXIᵉ siècle ? Plusieurs indices laissent penser que les conditions nécessaires aux enrichissements des musées, ou à la création de nouvelles collections, ne sont plus aussi favorables qu'il y a vingt ou trente ans. Les œuvres de qualité disponibles sur le marché sont bien moins nombreuses à présent qu'au début des années quatre-vingt-dix et leur rareté a fait monter leurs prix. D'autre part, de nombreux musées américains ont cessé de considérer que l'enrichissement de leurs collections d'art européen restait une priorité et certains laissent en réserve des tableaux qui comptent parmi les chefs-d'œuvres de la peinture italienne des XVIIe et XVIIIe siècles présents aux États-Unis. D'autres vont jusqu'à s'en défaire dans le cadre de procédures de « *deaccessioning* » qui restent difficiles à admettre pour des responsables de musées européens, surtout quand ces ventes font perdre l'esprit d'origine des collectionneurs qui avaient fondé ces musées. Mais d'autres obstacles encore peuvent aller à l'encontre d'une tradition désormais ancienne d'appréciation de la peinture baroque : s'il y a toujours des amateurs d'art fortunés aux États-Unis, il y en a sans doute de moins en moins qui soient prêts à consacrer du temps pour acquérir les connaissances indispensables à son appréciation. Des raisons identiques font que les étudiants s'intéressant à la peinture baroque sont de plus en plus rares, que beaucoup de grandes universités américaines ne l'enseignent plus et que l'approche du « *connoisseurship* » leur est devenue étrangère. Enfin, il est désormais très difficile de publier aux États-Unis une monographie sur un peintre accompagnée d'un catalogue raisonné. La peinture baroque aurait-elle cessé d'y être à la mode ? Sans doute pas davantage qu'en Europe mais une rencontre comme celle-ci, organisée à Paris en 2015, montrent bien que le goût et la connaissance de la peinture baroque ont depuis longtemps cessé d'être un privilège des Européens, et qu'ils doivent continuer à se développer sur les deux continents[18].

1– Le tableau placé à la fin du texte a été établi à partir des catalogues raisonnés de 33 peintres italiens des XVIIe et XVIIIe siècles, lorsqu'ils étaient disponibles. Il a permis d'établir le classement des pays où ces peintres sont les mieux représentés :

    1– États-Unis : Baciccio (Giovanni Battista Gaulli), Caravage (Michelangelo Merisi), Ludovic Carrache, Le Cavalier d'Arpin (Giuseppe Cesari), Bernardo Cavallino, Carlo Dolci, Orazio Gentileschi, Francesco Guardi, Le Guerchin (Giovanni Francesco Barbieri), Alessandro Magnasco, Bartolomeo Manfredi, Giovanni Paolo Panini, Giambattista Piazzetta, Mattia Preti, Salvator Rosa, Bernardo Strozzi, Giambattista Tiepolo, Gaspare Traversi

    2– France : L'Albane (Francesco Albani), Gioacchino Assereto, Annibal Carrache, Ludovic Carrache, Pierre de Cortone, Guido Reni

    3– Grande-Bretagne : Pompeo Batoni, Canaletto (Antonio Canale), Dominiquin (Domenico Zampieri), Domenico Fetti, Pier Francesco Mola, Sebastiano Ricci

    4– Allemagne : Giuseppe Maria Crespi, Domenico Fetti, Gianantonio Pellegrini, Giambattista Pittoni

    5– Espagne : Luca Giordano

2– A. Brejon de Lavergnée et N. Volle, *Musées de France. Répertoire des peintures italiennes du XVIIe siècle*, Paris, 1988 ; *Settecento. Le siècle de Tiepolo. Peintures italiennes du XVIIIe siècle exposées dans les collections publiques françaises*, cat. exp. Lyon, musée des Beaux-Arts ; Lille, Palais des Beaux-Arts, 2000-2001. Voir aussi la base RETIF consultable sur le portail AGORHA de l'Institut national d'histoire de l'art.

3– S. Loire, « XVIIe, XVIIe siècles », É. Foucart-Walter (éd.), *Catalogue des peintures italiennes du musée du Louvre*, Paris, 2007, p. 123-219.

4– H. F. Schweers, *Gemälde in deutschen Museen. Katalog der ausgestellten und depotgelagerten Werke : Künstler und ihre Werke*, Munich, 2002.

5– A. E. Pérez Sánchez, *Pintura italiana del siglo XVII en Espana*, Madrid, 1965 ; J. Urrea Fernandez, *La Pintura italiana del siglo XVIII en España*, Valladolid, 1977.

6– M. Levey, *The Later Italian Pictures in the Collection of Her Majesty the Queen*, Londres, 1991.

7– C. Wright, *Old Master Paintings in Britain. An Index of Continental Old Master Paintings Executed Before c. 1800 in public collections in the United Kingdom*, Londres, 1976.

8– Les paragraphes qui suivent s'inspirent largement de l'étude très complète d'Eric M. Zafran, « A history of Italian baroque painting in America », Richard P. Townsend (éd.), *Botticelli to Tiepolo. Three Centuries of Italian Painting from Bob Jones University*, cat. exp., Tulsa, Philbrook Museum of Art, 1994-1995, p. 21-108.

9– B. Berenson, *North Italian Painters of the Renaissance*, New York, 1907 ; trad. français, Paris, 1926, p. 198.

10– E. Peters Bowron, « The Kress brothers and their "bucolic pictures" : the creation of an Italian Baroque collection », *A Gift to America. Masterpieces of European Paintings from the Samuel H. Kress Collection*, cat. exp., Raleigh, North Carolina Museum of Art, 1994-1995, p. 41-59.

11– *Exhibition of Italian XVII and XVIII Century Paintings and Drawings*, Cambridge, Fogg Art Museum, 1929 (sans catalogue).

12– Ces cours étaient dispensés par Arthur Mac Comb, auteur du premier ouvrage d'ensemble sur le sujet paru aux États-Unis (*The Baroque Painters of Italy*, Cambridge, 1934).

13– R. Wittkower, *Art and Architecture in Italy. 1600-1750*, Harmondswoth, 1958 ; éd. française, Paris, 1991.

14– Ouvrages publiés par Robert Enggass, Donald Posner, R. Ward Bissell, Richard Spear et Stephen Pepper.

15– Constituée au même moment, la collection de Paul et Eula Ganz a été dispersée après 1985 tandis qu'une part importante de celle de Robert Manning et Bertina Suida Manning a été acquise en 1998 par le Jack S. Blanton Museum of Art d'Austin (Texas).

16– Cette tradition s'est bien sûr maintenue par la suite avec des expositions consacrées à Florence (1974), Naples (1981-1982, 1983), Bologne (1986-1987) ou Rome au XVIIIe siècle (2000).

17– Cavallino est entré dans les collections du Louvre en 1983, Giulio Cesare Procaccini en 1986 et Gaspare Traversi en 1990.

18– La richesse des collections américaines qu'avait révélé le répertoire de Burton Fredericksen et Federico Zeri (*Census of Pre-Nineteenth Century Italian Paintings in North American Collections*, Cambridge, 1972) mériterait de faire l'objet d'une mise à jour sous la forme d'une base de données. Si des expositions consacrées à Carlo Dolci ou Francesco de Mura vont bientôt avoir lieu dans des musées américains, des manifestations plus ambitieuses rassemblant les plus beaux tableaux italiens des XVIIe et XVIIIe siècles conservés aux États-Unis pourraient toucher un large public.

Classement des pays par nombre de tableaux présents pour 33 peintres italiens des XVIIe et XVIIIe siècles

L'Albane (Francesco Albani)

1–	France	31
2–	Espagne	20
3–	Allemagne	13
4–	États-Unis	5
4–	Grande-Bretagne	5

Gioacchino Assereto

1–	France	7
2–	États-Unis	6
3–	Allemagne	4
4–	Espagne	2
4–	Grande-Bretagne	2

Baciccio (Giovanni Battista Gaulli)

1–	États-Unis	22
2–	France	12
3–	Allemagne	9
4–	Grande-Bretagne	6
5–	Espagne	-

Pompeo Batoni

1–	Grande-Bretagne	49
2–	États-Unis	35
3–	Allemagne	15
4–	France	7
5–	Espagne	6

Canaletto (Antonio Canale)

1–	Grande-Bretagne	97
2–	États-Unis	47
3–	Allemagne	19
4–	France	4
5–	Espagne	2

Caravage (Michelangelo Merisi)

1–	États-Unis	7
2–	France	5
3–	Espagne	3
3–	Grande-Bretagne	3
5–	Allemagne	2

Annibal Carrache

1–	France	15
2–	Allemagne	11
3–	Grande-Bretagne	9
4–	États-Unis	7
5–	Espagne	3

Ludovic Carrache

1–	États-Unis	6
1–	France	6
3–	Allemagne	4
3–	Grande-Bretagne	4
5–	Espagne	-

Le Cavalier d'Arpin (Giuseppe Cesari)

1–	États-Unis	11
2–	France	10
3–	Allemagne	4
4–	Grande-Bretagne	3
5–	Espagne	1

Bernardo Cavallino

1–	États-Unis	12
2–	Allemagne	6
2–	France	6
4–	Espagne	5
4–	Grande-Bretagne	5

Pierre de Cortone

1–	France	10
2–	États-Unis	6
3–	Grande-Bretagne	4
4–	Allemagne	3
5–	Espagne	2

Giuseppe Maria Crespi

1–	Allemagne	22
2–	États-Unis	19
3–	Grande-Bretagne	8
4–	France	7
5–	Espagne	-

Carlo Dolci

1–	États-Unis	14
2–	Allemagne	12
3–	Grande-Bretagne	10
4–	France	6
5–	Espagne	1

Dominiquin (Domenico Zampieri)

1–	Grande-Bretagne	20
2–	France	17
3–	États-Unis	8
4–	Espagne	5
5–	Allemagne	2

Domenico Fetti
1– Allemagne   14
1– Grande-Bretagne   14
3– États-Unis   9
4– France   4
5– Espagne   -

Orazio Gentileschi
1– États-Unis   7
2– Allemagne   5
2– Espagne   5
4– Grande-Bretagne   4
5– France   3

Luca Giordano
1– Espagne   280
2– Allemagne   54
3– États-Unis   52
4– France   39
5– Grande-Bretagne   37

Francesco Guardi
1– États-Unis   68
2– Grande-Bretagne   41
3– France   32
4– Allemagne   11
5– Espagne   -

Le Guerchin
(Giovanni Francesco Barberi)
1– États-Unis   32
2– France   26
2– Grande-Bretagne   26
4– Allemagne   10
5– Espagne   7

Alessandro Magnasco
1– États-Unis   31
2– Allemagne   20
3– France   9
4– Espagne   2
5– Grande-Bretagne   1

Bartolomeo Manfredi
1– États-Unis   6
2– France   4
3– Allemagne   2
4– Espagne   -
4– Grande-Bretagne   -

Pier Francesco Mola
1– Grande-Bretagne   12
2– France   10
3– Allemagne   7
3– États-Unis   7
5– Espagne   2

Giovanni Paolo Panini
1– États-Unis   44
2– France   34
3– Allemagne   19
4– Grande-Bretagne   18
5– Espagne   11

Gianantonio Pellegrini
1– Allemagne   48
2– Grande-Bretagne   22
3– États-Unis   16
4– France   15
5– Espagne   -

Giambattista Piazzetta
1– États-Unis   14
2– Allemagne   5
3– France   3
3– Grande-Bretagne   3
5– Espagne   2

Giambattista Pittoni
1– Allemagne   14
2– États-Unis   13
3– France   12
4– Grande-Bretagne   9
5– Espagne   2

Mattia Preti
1– États-Unis   17
2– France   15
3– Allemagne   13
4– Espagne   10
5– Grande-Bretagne   7

Guido Reni
1– France   21
2– Grande-Bretagne   20
2– États-Unis   20
4– Espagne   12
5– Allemagne   11

Sebastiano Ricci
1– Grande-Bretagne   54
2– États-Unis   47
3– Allemagne   24
4– France   16
5– Espagne   3

Salvator Rosa
1– États-Unis   35
2– France   21
3– Grande-Bretagne   16
4– Allemagne   7
5– Espagne   3

Bernardo Strozzi
1– États-Unis   43
2– Allemagne   24
3– France   19
4– Grande-Bretagne   8
5– Espagne   2

Giambattista Tiepolo
1– États-Unis   80
2– Grande-Bretagne   33
3– Allemagne   25
4– France   22
5– Espagne   12

Gaspare Traversi
1– États-Unis   13
2– France   10
3– Allemagne   2
4– Espagne   1
5– Grande-Bretagne   -

Collections of Baroque Paintings in the USA: A European Perspective

Stéphane Loire (Conservateur en chef, département des Peintures, musée du Louvre)

For historians of Italian Baroque painting, a familiarity with the collections of American museums has long been indispensable. While these widely dispersed institutions often have only limited holdings of 17th- and 18th-century Italian painting, their collections include works of the highest quality whose equivalents are not always found in European museums outside of Italy (fig. 1). Regional centers are remarkably well represented when the United States is taken as a whole. More surprising still, a comparison of the number of works by the most important Italian Baroque painters held by US museums with those held by the museums of France, Germany, Great Britain, and Spain (the four European countries with the greatest historic collections) reveals that in most cases the greatest numbers are to be found in the United States (see table).[1]

To understand this situation, one has to look at the particular characteristics of European collections, and the historic circumstances in which works were acquired. The wealth of French museums' holdings stems from the important place of Italian Baroque painting in the collection of Louis XIV, which was later supplemented by revolutionary confiscations in France and in Italy. It owes something, also, to the numerous museums that were founded in the 19th century, where private donors played a key role in the constitution of collections,[2] and to 20th-century acquisitions, which have not been insignificant. The French public collections today include between three and four thousand Baroque paintings, but apart from the Louvre, which accounts for some 470 works,[3] they are of uneven quality. Most are scattered in numerous churches and among hundreds of museums: one might expect that of any ten paintings, at least two will be copies and two or three will be mediocre, leaving only four or five of real interest.

German holdings of Baroque paintings owe something to 18th-century commissions, but for the most part have their origin in the great princely collections assembled at that time, as at Brunswick, Kassel, Dresden, and Munich. Where these formed the basis for public museums, they were often reinforced by acquisitions in the late 19th and early 20th centuries, as in Berlin, or sometimes even later, as at Stuttgart, whose collection was considerably expanded in the second half of the 20th century.[4]

The significant presence of Italian Baroque painting in Spain is owed to the importation of many contemporary works in the 17th and 18th centuries, and to the preservation of the royal collection, which has remained more or less intact since that time.[5] With their long-term loans to many other Spanish institutions, the Museo del Prado and the Patrimonio Nacional must be the institutions that hold the largest number of Baroque paintings.

In Great Britain, the royal collection has included substantial holdings of Venetian painters since the 17th century.[6] Of particular note is the remarkable wealth of the private collections assembled in aristocratic country houses through the 18th and 19th centuries. In the 20th century some of these were opened to the public on being taken over by the National Trust, but most such collections have been dispersed, with relatively few of the works going to British museums.[7]

In the United States, on the other hand, most collections of Baroque painting were formed only in the 20th century.[8] While it was local interest and individual generosity that permitted their establishment in most of America's great cities and also at a good number of the country's universities, three specific factors underlie their often hasty creation: the growing interest in Baroque painting among individual collectors, the significant impact of exhibitions and art historians, and a notably easy art market.

The accumulation of extraordinary fortunes from the late 19th century until around 1920 resulted in the formation of substantial art collections in the United States. Some of these were very soon opened to the public as their owners sought to extend to all Americans the benefit of the wealth they had been able to amass in a young country that offered extraordinary opportunities to make vast amounts of money. In particular, such collections made accessible to their compatriots the artistic and cultural wealth of an "Old World" that most would never be able to visit. In painting, these wealthy amateurs were drawn to the grand manner they discovered in Europe, becoming avid collectors of Italian Renaissance, 17th-century Dutch and Flemish, 18th-century English and 19th-century French painting. With the exception of a handful of artists appreciated for their decorative qualities – such as Canaletto, Guardi and Tiepolo – the painters of the Italian Baroque were neglected. In this predominantly Protestant country, this lack of interest no doubt derived from an old prejudice against the art of the Catholic Counter-Reformation. In addition, the European rediscovery of the Italian primitives in the second half of the 19th century had brought discredit on their Baroque counterparts that was shared in United States, notably through the influence of the English writer and art critic John Ruskin. Charles Eliot Norton, who taught art history at Harvard between 1875 and 1898, transmitted this low opinion of the Baroque to several generations of American art lovers, so that Bernard Berenson, one of the most famous of his pupils, could write of Italy, in 1907, that "although in the last three and a half centuries she has brought forth thousands of clever and even delightful painters, she has failed to produce a single great artist."[9] An adviser to such important American collectors as Henry Clay Frick, Isabella Stewart Gardner, Andrew Mellon, and John Pierpont Morgan, Berenson had them share his enthusiasm for the Italian painting of the 14th and 15th centuries, as a result of which it is remarkably well represented in the American museums based on their collections, such as The Frick Collection and The Morgan Library & Museum in New York, the Isabella Stewart Gardner Museum in Boston, and the National Gallery of Art in Washington, D. C. But his disciples also followed him in his disparagement of Italian painting of the 17th and 18th centuries, which is often poorly represented in these institutions or even altogether absent.

In Europe, a growing interest in Italian Baroque painting emerged in the early 20th century. Heinrich Wölfflin published his *Kunstgeschichtliche Grundbegriffe* in 1915 (translated into English as *Principles of Art History* in 1932), inaugurating a formal approach to Baroque art that broke with the prevailing belief in its supposed decadence. And in 1922 the *Mostra della pittura italiana del Seicento e del Settecento* at the Palazzo Pitti in Florence offered the most extensive survey ever of the painting of the 17th and 18th centuries, gathering together more than 1,000 works from churches as well as private and public collections. This exhibition played a major role in the rediscovery of Caravaggio, and also revived interest in dozens of hitherto neglected painters by revealing to general public, art historians, and dealers alike the extraordinary artistic wealth of the period. Followed by the publication of substantial works on regional schools and numerous detailed studies by Italian, German, and British scholars in particular, this exhibition had lasting consequences in stimulating the interests of scholars, dealers, and collectors and in prompting museum acquisitions and exhibitions, notably in the United States.

While the great east coast museums remained untouched by this growing interest in the Baroque, in the 1920s and 30s wealthy art lovers of unorthodox taste gave it an important place in their collections. Most notable among these was circus entrepreneur John Ringling (1866-1936), who in six years purchased more than 600 Italian paintings with a view to putting them in a museum; opened in Sarasota, Florida, in 1931, the John and Mable Ringling Museum of Art still has one of the finest collections of Baroque paintings in the United States (fig. 2). Another was press magnate William Randolph Hearst (1863-1951); few of his Baroque paintings remain at Hearst Castle, but he would donate some of the best to the Los Angeles County Museum of Art. In 1927, having made his fortune with a country-wide chain of five-and-ten cent stores, Samuel H. Kress (1863-1955) bought his first Italian painting while traveling in Europe. If his personal taste inclined toward gold-ground panels and the painting of the Renaissance, he also acquired 17th- and 18th-century works so as to be able to present the whole history of painting in Italy. Without a doubt the United States' greatest ever collector of old master paintings, he was also one of the most generous. Some 400 paintings from his collection went to the founding of the National Gallery of Art in Washington D. C., opened in 1941 thanks to a major gift by Andrew Mellon, while in the 1950s and 60s his eponymous foundation distributed 900 others to 18 "regional galleries" across the country and to the "study collections" of 23 American universities. Kress gave the very finest Renaissance paintings in his collection to the National Gallery; John Walker, its chief curator and then director, was however a disciple of Berenson and rejected most of the Baroque works; and so it was that certain masterpieces went to regional museums even when the National Gallery itself had nothing of the same kind (fig. 3).[10]

In 1929 Harvard's Fogg Art Museum organized the first exhibition of Baroque painting in the United States.[11] Intended to accompany a course of lectures on the subject,[12] it was the first of a series of temporary exhibitions that began to pop up around the country, more frequently perhaps than in Europe itself. Most took place in museums, though some, equally intended to promote interest in Italian painting of the 17th and 18th centuries, were held in commercial galleries, combining works from public and private collections with others offered for sale. While these were initially general in scope, the late 1930s saw the first exhibitions devoted to individual painters, sometimes of the second rank but well represented in the United States, among them Giuseppe Maria Crespi (1937) and Alessandro Magnasco (1938, 1943, 1967), later followed by Salvator Rosa (1948, 1979), Domenico Fetti (1950), Luca Giordano (1964), Sebastiano Ricci (1965), and Bernardo Strozzi (1967). In the 1930s, the arrival in the US of European art historians, particularly those leaving Germany to escape Nazi persecution, revolutionized thinking in the field – their approach often being more open-minded than their American, French, or British counterparts. Among the most influential were Walter Friedlaender, who was appointed professor at New York University in 1935 before going on to publish his *Caravaggio Studies* in 1955, and Rudolf Wittkower, who taught at Columbia University from 1956 to 1969, the author of an unequalled study of Italian Baroque as a whole;[13] and it is to the generation of art historians that they helped to train that we owe the standard works on Baciccio (1964), Annibale Carracci (1971), Orazio Gentileschi (1981), Domenichino (1982), and Guido Reni (1984).[14]

From the 1930s onward there were New York galleries such as Durlacher Brothers and F. Kleinberger & Co. that specialized in the field, exhibiting and selling the Baroque paintings that as yet failed to interest the better-known dealers, but the 1950s proved to be a particularly fruitful period for collectors. In Europe generally, and in Great Britain more particularly, major social changes following the Second World War brought about the dispersal of many aristocratic collections: the market saw an unprecedented influx of old master paintings at often very affordable prices. Active buyers in the London salerooms, New York dealers like Nicholas Acquavella, Oscar Klein, David Koetser, Frederick Mont, and Julius Weitzner sold paintings on to a number of enthusiastic collectors who in a space of a few years accumulated substantial holdings in which the Italian Baroque was more than worthily represented. The collections of Bob Jones Jr. and Walter Chrysler Jr. formed the basis of remarkable museums in Greenville, SC, and Norfolk, VA, that bear their names, and Luis Ferré's collection went to form the Museo de Arte de Ponce.[15] By the 1960s, the growth in their holdings had been such that American museums, relying only on their own resources, could devote exhibitions to regional centers such as Naples (Sarasota, 1961), Genoa (Dayton, 1962), and Florence (New York, 1969).[16] In the 1970s and 80s further collections of important Baroque paintings were made available to the public with the opening of museums based on the personal collections of J. Paul Getty at Malibu and then Los Angeles, and of Norton Simon at Pasadena, or the Kimbell Art Museum of Fort Worth, which opened in 1972.

In the second half of the twentieth century American museums played a pioneering role in acknowledging previously neglected artists such as Bernardo Cavallino, Giulio Cesare Procaccini, and Gaspare Traversi, acquiring their works before major European institutions, including the Louvre.[17] At the same time, they expanded their holdings of already well-known painters, so that they are now on the whole better represented in American museums than in those of France, Germany, or Great Britain. The example of Caravaggio illustrates the energetic acquisitions policy of US museums, driven of course by a level of funding that would be the envy of many of their European counterparts but also by close attention to developments in scholarship and in the market. In 1943, the clearsightedness of Chick Austin, director of the Wadsworth Atheneum in Hartford, CT, led to the museum's purchase of *Saint Francis of Assisi in Ecstasy*, the first undoubted work of Caravaggio to be acquired by an American collection. Two others were purchased in 1952, one by The Metropolitan Museum of Art, New York, the other by The Nelson-Atkins Museum of Art, Kansas City, following the important Caravaggio exhibition in Milan the previous year. The next four, which went to Detroit (1973), Cleveland (1976), Fort Worth (1987) (fig. 4), and New York (1997), were in Europe until not long before their acquisition.

Will the lively interest in Italian Baroque painting that burgeoned in the United States in 1930s be maintained into the 21st century? A few clues suggest that conditions for the creation or expansion of collections are no longer as favorable as they were some twenty or thirty years ago. There are far fewer works of quality available on the market than there were in the early 1990s, and this scarcity has seen them rise in price. In addition, many American art museums no longer see the expansion or deepening of their European collections as a priority – some relegating to their reserves works that are among the masterpieces of 17th- and 18th-century Italian painting to be found in the United States. Others are even disposing of them, embarking on the deaccessioning that is still hard to admit for European museum professionals, especially when such disposals betray the intentions of those who formed the collections upon which the museums are based. But there are other obstacles as well to the continuation of the now well-established tradition of appreciation of Baroque painting: while there are still wealthy art lovers in the United States, there must surely be fewer and fewer who are prepared to spend the time necessary to acquire the knowledge indispensable to its proper understanding. For the same reasons, there are fewer and fewer students interested in Baroque art and many great American universities no longer teach it, the very idea of connoisseurship having become foreign to them. And finally, it has now become very difficult to find a publisher in the United States for a monograph with accompanying catalogue raisonné. Has Baroque painting, then, gone out of fashion in America? No more than in Europe, surely; but an event like this, held in Paris in 2015, clearly shows that appreciation and understanding of Baroque painting have long since ceased to be confined to Europe, and deserve to be maintained and further developed on both sides of the Atlantic.[18]

1– The comparison (shown in the table) was made using data drawn from the catalogues raisonnés of 33 Italian painters of the 17th and 18th centuries. This also reveals the countries in which each of the painters is best represented. Artists' names below are as they appear in the table:

1– **United States:** Baciccio (Giovanni Battista Gaulli), Caravaggio (Michelangelo Merisi), Ludovico Carracci, Cavaliere d'Arpino (Giuseppe Cesari), Bernardo Cavallino, Carlo Dolci, Orazio Gentileschi, Francesco Guardi, Guercino (Giovanni Francesco Barbieri), Alessandro Magnasco, Bartolomeo Manfredi, Giovanni Paolo Panini, Giambattista Piazzetta, Mattia Preti, Salvator Rosa, Bernardo Strozzi, Giambattista Tiepolo, Gaspare Traversi

2– **France:** Albano (Francesco Albani), Gioacchino Assereto, Annibale Carracci, Ludovico Carracci, Pietro da Cortona, Guido Reni

3– **Great Britain:** Pompeo Batoni, Canaletto (Antonio Canale), Domenichino (Domenico Zampieri), Domenico Fetti, Pier Francesco Mola, Sebastiano Ricci

4– **Germany:** Giuseppe Maria Crespi, Domenico Fetti, Gianantonio Pellegrini, Giambattista Pittoni

5– **Spain:** Luca Giordano

2– Arnauld Brejon de Lavergnée and Nathalie Volle, *Musées de France. Répertoire des peintures italiennes du XVIIe siècle*, Paris, 1988; *Settecento. Le Siècle de Tiepolo. Peintures italiennes du XVIIIe siècle exposées dans les collections publiques françaises*, exh. cat., Lyon, Musée des Beaux-Arts; Lille, Palais des Beaux-Arts, 2000-1. See also the RETIF database accessible from the AGORHA portal of the Institut National d'Histoire de l'Art.

3– Stéphane Loire, "XVIIe, XVIIIe siècles", in Élisabeth Foucart-Walter, ed., *Catalogue des peintures italiennes du musée du Louvre*, Paris, 2007, pp. 123-219.

4– Hans F. Schweers, *Gemälde in deutschen Museen. Katalog der ausgestellten und depotgelagerten Werke: Künstler und ihre Werke*, Munich, 2002.

5– Alfonso E. Pérez Sánchez, *Pintura italiana del siglo XVII en España*, Madrid, 1965; Jesús Urrea Fernandez, *La Pintura italiana del siglo XVIII en España*, Valladolid, 1977.

6– Michael Levey, *The Later Italian Pictures in the Collection of Her Majesty the Queen*, London, 1991.

7– Christopher Wright, *Old Master Paintings in Britain: An Index of Continental Old Master Paintings Executed Before c. 1800 in Public Collections in the United Kingdom*, London, 1976.

8– The paragraphs that follow largely rely on the very comprehensive study by Eric M. Zafran, "A History of Italian Baroque Painting in America", in Richard P. Townsend, ed., *Botticelli to Tiepolo: Three Centuries of Italian Painting from Bob Jones University*, exh. cat., Tulsa, Philbrook Museum of Art, 1994-5, pp. 21-108.

9– Bernard Berenson, *North Italian Painters of the Renaissance*, New York and London, 1907, p. 157.

10– Edgar Peters Bowron, "The Kress Brothers and their 'Bucolic Pictures': The Creation of an Italian Baroque Collection", *A Gift to America: Masterpieces of European Painting from the Samuel H. Kress Collection*, exh. cat., Raleigh, North Carolina Museum of Art, 1994-5, pp. 41-59.

11– *Italian XVII and XVIII Century Paintings and Drawings*, Cambridge, Fogg Art Museum, 1929 (no catalogue).

12– These lectures were given by Arthur Kilgore MacComb, author of the first general work on the subject to be published in the United States (*The Baroque Painters of Italy*, Cambridge, 1934).

13– R. Wittkower, *Art and architecture in Italy. 1600-1750*, Harmondsworth, 1958.

14– The works of Robert Enggass, Donald Posner, R. Ward Bissell, Richard Spear and Stephen Pepper.

15– Formed at the same time, the Paul and Eula Ganz collection was dispersed from 1985 onward, while a substantial part of Robert Manning and Bertina Suida Manning's collection was acquired in 1998 by the Jack S. Blanton Museum of Art, Austin, TX.

16– This tradition has of course been maintained since, with exhibitions devoted to Florence (1974), Naples (1981-2, 1983), Bologna (1986-7) and Rome in the 18th century (2000).

17– Cavallino entered the Louvre collection in 1983, Giulio Cesare Procaccini in 1986 and Gaspare Traversi in 1990.

18– The wealth and diversity revealed by Burton Fredericksen and Federico Zeri's *Census of Pre-Nineteenth Century Italian Paintings in North American Collections*, Cambridge, 1972, surely now calls for an up-to-date electronic database. And while American museums are soon going to have monographic shows on Carlo Dolci or Francesco de Mura, more ambitious exhibitions featuring the finest Italian 17th- and 18th-century paintings in the United States could well appeal to a broad public.

De Berlin à Los Angeles : William R. Valentiner et le musée encyclopédique en Amérique

J. Patrice Marandel

Chief Curator of European Art, Los Angeles County Museum of Art

Au cours de cette brève intervention, j'aimerais évoquer le rôle précurseur de William Valentiner dans la conception des musées encyclopédiques américains, en mettant notamment l'accent sur la place qu'y occupe la peinture ancienne. Outre son intérêt historique, le sujet a une pertinence actuelle dans la mesure où le modèle établi par Valentiner – et adopté par de nombreux musées américains – est aujourd'hui remis en question de façon radicale (et non sans ironie) dans des institutions muséales qui ont bénéficié des connaissances et de la pensée originale de Valentiner.

Né Wilhelm Valentiner à Karlsruhe en 1880 et fils adoptif d'une famille de stricte obédience luthérienne, Valentiner est sans doute moins connu des jeunes spécialistes et conservateurs de musée actuels qu'il ne l'était il y a 30 ou 40 ans. Il fut néanmoins un des directeurs de musée les plus marquants de sa génération. Sa carrière, qui débute sous l'égide de Wilhelm von Bode au Kaiser-Friedrich-Museum de Berlin (l'actuel Bodemuseum), se développe au Metropolitan Museum de New York, à l'Institut des arts de Detroit, puis à Los Angeles, d'une part au musée d'art de Los Angeles (l'actuel Musée d'art du comté de Los Angeles) et d'autre part au musée J. Paul Getty, à la fondation duquel il participe. Parvenu à l'âge de la « retraite », il s'occupe du musée d'art de Caroline du Nord, à Raleigh. Les documents personnels de Valentiner, aujourd'hui conservés à Raleigh, constituent une

riche source de renseignements sur ses années formatrices ainsi que sur sa carrière aux États-Unis. Dans son autobiographie[1], inédite à ce jour, Valentiner retrace en détail son parcours, de ses années d'études à celles où il fut directeur de musée. Ses brillantes études à l'université de Leipzig et celle d'Heidelberg laissaient présager une carrière exceptionnelle. L'intérêt qu'il porte très tôt à l'école hollandaise ne se démentira jamais. Sa rencontre avec Cornelis Hofstede de Groot et son travail sous sa direction sont décisives pour le jeune Valentiner qui, dans un premier temps, collabore à la rédaction de deux catalogues de Hofstede de Groot, l'un consacré aux dessins de Rembrandt (Londres, 1909-1926), l'autre aux grands peintres néerlandais, flamands et français (*Catalogue Raisonné of the Works of the Most Eminent Dutch, Flemish and French Painters*, Londres, 1929). « *Ma tâche principale*, écrit Valentiner, *consistait à construire une cohérence à partir des notes sur la peinture néerlandaise que Hofstede de Groot avait prises au cours de ses voyages, de la description de ces mêmes tableaux par John Smith et enfin de renseignements issus de catalogues de vente ou de collection plus anciens.* »[2] Ces travaux sur la peinture néerlandaise amènent Valentiner à publier un premier ouvrage majeur, *Rembrandt und seine Umgebung* (Strasbourg, 1905). Cette publication et les vives recommandations de Hofstede de Groot piquent alors l'intérêt de Wilhelm von Bode, alors directeur du tout nouveau Kaiser-Friedrich-Museum de Berlin.

Conçu en 1883 par la princesse Victoria de Prusse et mis en chantier en 1897, le Kaiser-Friedrich-Museum ouvrait ses portes en 1904.

Fig. 1 – William R. Valentiner dans son bureau

Avec l'aimable autorisation de l'Institut des arts de Detroit

William R. Valentiner in his office

Bode, son premier directeur, est lui aussi auteur de mémoires[3], où il présente et développe l'idée d'un nouveau type de musée. Il s'agit entre autres – ce qu'aucun autre musée n'a encore envisagé – d'exposer côte à côte peintures et sculptures, stratégie qui va profondément influer sur la manière dont Valentiner conçoit le musée. Dans ses mémoires, Bode ne dit pratiquement rien de ses relations avec Valentiner : le nom de celui-ci y figure à une seule reprise parmi celui des divers conservateurs talentueux engagés pour mettre en œuvre le nouveau musée. Dans ses propres écrits, Valentiner n'en dit guère plus, mais ne manque jamais de rendre hommage à Bode en le qualifiant de « *véritable génie* ».

Manifestement le jeune et brillant Valentiner exerça une certaine fascination sur Bode, qui l'engagea comme secrétaire particulier, effectua de nombreux longs voyages dans l'Europe entière en sa compagnie et le présenta à de nombreux collectionneurs et marchands d'art. Mais surtout, tout en appréciant les connaissances de Valentiner dans le domaine de la peinture du Nord, il l'encourage et lui ordonne même d'élargir son champ de compétence. Pendant les deux années passées au Kaiser-Friedrich-Museum, Valentiner est ainsi affecté au département de peinture, puis aux arts de l'Islam et aux arts décoratifs, et enfin au cabinet d'estampes, autant de domaines qui joueront un rôle capital dans sa carrière à venir.

Contrairement aux galeries d'art de Paris, Vienne ou Madrid, dotées d'importantes collections royales ou impériales, et plus encore que la National Gallery de Londres de création récente, le Kaiser-Friedrich-Museum constitue un modèle passionnant pour les musées en train de naître en Amérique. Bien que fondé par décret impérial, il n'abrite pas les collections impériales, conservées à Potsdam. Il s'agit plutôt d'un musée conçu et organisé par des historiens de l'art. Le projet de Bode aura des répercussions sur toute la pensée muséographique de l'époque. Pour les musées américains son travail est aussi exemplaire qu'original. Il représente une vision particulièrement moderne et d'autant plus attrayante pour les nouveaux musées.

Prenons pour exemple, chez Bode, l'ambition d'une audace un peu folle consistant à faire figurer dans les collections muséales chaque école italienne, aussi « obscure » ou provinciale fût-elle. Le résultat est aujourd'hui difficile à apprécier dans la mesure où les peintures de la collection berlinoise sont désormais non seulement exposées indépendamment des sculptures, mais aussi distribuées entre deux collections distinctes de la Gemäldegalerie, la principale au niveau supérieur et la seconde en bas. Regroupées, elles constitueraient non seulement l'une des collections les plus éblouissantes qui soit de l'art italien, mais aussi l'une des plus systématiques : un équivalent visuel, pourrait-on dire, des « listes » de Bernard Berenson ou de Hofstede de Groot, considérées à leur époque comme la manifestation la plus avancée de la recherche contemporaine.

On ne s'étonnera guère que le directeur du Metropolitan Museum of Art, l'Anglais Sir C. Purdon Clarke, à la recherche d'un jeune spécialiste pour son musée, ait demandé conseil à Bode. Je ne me risquerai pas à des conjectures sur les raisons qui poussent alors Bode à recommander Valentiner : une réelle volonté de lui venir en aide (en Allemagne, il touche un salaire dérisoire), voire peut-être un soupçon de jalousie ou d'impatience envers le jeune homme. Il se peut que Valentiner, qui fait discrètement allusion à un possible désaccord entre eux dans son autobiographie, se soit lui-même réjoui de cette voie de sortie. En effet, Max Friedländer étant bien établi dans ses fonctions de directeur de la section de peintures et encore jeune, toute vacance prochaine du poste était probablement exclue. Quoi qu'il en soit, l'arrivée de Valentiner au Metropolitan Museum of Art date de 1908.

Institution en pleine expansion et dotée d'un personnel assez peu nombreux, le Met donne à Valentiner la possibilité de mettre en pratique une part de ce qu'il a appris à Berlin. Sa nomination comme conservateur aux arts décoratifs ayant été approuvée par l'administrateur le plus influent du musée, J. P. Morgan, Valentiner ne tarde pas à lui démontrer l'efficacité d'une approche intégrée, consistant à exposer les œuvres dont il a la charge, et qui sont pour la plupart des donations de

Morgan lui-même, aux côtés de peintures et de sculptures de la même période. Si les relations entre Valentiner et le grand collectionneur s'avèrent difficiles, elles n'en sont pas moins fondées sur un respect mutuel. Parfois peu impressionné par les installations de Valentiner, Morgan ira même jusqu'à qualifier l'une d'entre elle de « bric-à-brac », mais il n'en admire pas moins son immense culture. Malgré sa connaissance approfondie de la peinture italienne de la Renaissance et de l'art néerlandais, Valentiner n'a pas de responsabilités officielles dans le département de peintures du Met — dont le directeur, à l'époque, s'emploie de plus en plus à créer des sections spécialisées. Morgan est toutefois conscient du *connaisseurship* de Valentiner en matière picturale et, grâce à lui, Valentiner se fait connaître de plusieurs grands collectionneurs de peinture américains du début du XXᵉ siècle, dont il répertorie les œuvres – comme cela se fait à l'époque – dans des publications luxueuses. La plus prestigieuse d'entre elles est sans doute celle en deux volumes consacrée à la collection John G. Johnson. Publié à la veille de la Première Guerre mondiale, l'ouvrage marque la fin de la première phase des activités de Valentiner aux États-Unis, pays où il ne retournera qu'en 1921.

Le nom de Valentiner est désormais inséparable de la fondation de l'Institut des arts de Detroit, un des plus grands musées des États-Unis. En tant que conseiller puis directeur, Valentiner (fig. 1) eut en effet carte blanche pour la constitution des collections du musée. Dresser la liste de ses accomplissements, de l'acquisition d'antiquités à la commande de peintures murales à Diego Rivera pour l'intérieur du bâtiment, serait un long travail en soi. Je me contenterai ici de mettre l'accent sur un aspect moins connu de son activité de collection, l'acquisition de peintures italiennes. D'abord spécialiste, comme nous l'avons vu, de la peinture néerlandaise et du Nord, ainsi qu'auteur de nombreuses publications à ce sujet, Valentiner est néanmoins profondément attiré par l'art du Sud. Aussi parcourt-il l'Italie, guide touristique et carnet de notes en main. De manière prévisible chez un homme de sa génération, il affectionne tout particulièrement les arts de la première

Fig. 2 – Giovanni Domenico Tiepolo

Alexandre et les filles de Darius, 1750-1753, huile sur toile, 118,20 x 98,50 cm, Institut des arts de Detroit, acquisition de la Founders Society, General Membership Fund (25.207)

Alexander the Great with the Women of Darius

Renaissance. La peinture italienne – disons de Corrège à Tiepolo – n'est guère prisée des musées américains de l'époque. « Trop catholique », trop chargée ou trop décorative à leur goût peut-être, elle n'a pas le « sérieux », semble-t-il, d'un art digne des cimaises de musées. L'érudition dans ce domaine est encore trop récente (elle commence juste à prendre son essor) ou de source « trop étrangère » pour être accessible. Les rares individus, comme Chick Austin à Hartford, qui s'aventurent dans la collecte de peintures baroques passent généralement pour des excentriques, aussi brillants fussent-ils. Même si Detroit peut s'enorgueillir de posséder quelques tableaux baroques dès les années

Fig. 3 – Pierre de Cortone

Saint Jérôme dans le désert, vers 1637, huile sur cuivre, polygone irrégulier, 44,8 x 39,1 cm, Institut des arts de Detroit, don de M. et Mme E. Raymond Field (42.56)

Saint Jerome in the Desert

1890, ils ne sont pas suffisamment importants pour constituer le socle d'une collection représentative des XVIIe et XVIIIe siècles italiens.

Je dirais que lorsque Valentiner fait entrer dans la collection de Detroit des œuvres allant du XVIe au XVIIIe siècle, il emprunte à Bode l'idée de rassembler la collection la plus représentative possible de peinture italienne. Le choix des œuvres peut paraître curieux de prime abord et ne témoigne guère d'une volonté d'acquérir des peintures marquantes dans l'histoire de l'art. On pourrait presque

dire que Valentiner s'emploie à rédiger les notes de bas de page d'un texte qu'il n'a pas encore écrit. Il n'en reste pas moins que ces acquisitions, dont on peut dire qu'elles furent autant le fruit des circonstances que le résultat d'une réaction spontanée face à la qualité des œuvres, trouvent une résonance profonde dans la sensibilité actuelle. La première peinture italienne du XVIIIe siècle dont on lui doit l'acquisition n'est pas, comme on pourrait l'imaginer, l'œuvre d'un Giambattista Tiepolo mais, au contraire, un tableau peint par son fils Giandomenico – le magnifique *Alexandre et les filles de Darius* (fig. 2), exécuté à Würzburg et acheté en 1925. Par comparaison, l'acquisition d'une petite *Vierge à l'enfant* de Giambattista en 1929 peut paraître bien modeste ; le déséquilibre entre le père et le fils est toutefois corrigé 14 ans plus tard suite à l'achat par Valentiner du grand *Saint Joseph et l'enfant Jésus* de 1767-1769, que Giambattista peignit pour l'église San Pascual d'Aranjuez. Pour en revenir au XVIIe siècle, l'acquisition du *Vendeur de fruits* attribué au Caravage – qui d'autre ? – s'avérera en fait une erreur de génie lorsqu'il sera établi qu'il s'agit d'un chef-d'œuvre du Pensionante del Saraceni, encore mystérieux. Dans les années trente et quarante, époque à laquelle ces artistes sont pourtant peu appréciés, des peintures d'Ottavio Leoni, de Domenico Fetti et de Pietro da Cortona (fig. 3) rejoindront les collections. À cette période, Valentiner procèdera également à l'acquisition de peintures du XVIIIe siècle plus « classiques » et plus prestigieuses, signées Giambattista Piazzetta, Bernardo Bellotto ou Canaletto.

À Los Angeles, où il arrive en 1946, Valentiner est invité à définir la politique de la galerie d'art locale qui, depuis des décennies, fait partie du musée de la ville consacré à la fois aux beaux-arts et à l'histoire naturelle. Il y trouve une situation bien plus catastrophique qu'à Detroit : un bâtiment laid et inachevé ; un personnel réduit à une seule secrétaire qui, à ses propres dires, ne fait « rien » ; et aucune collection digne de ce nom. « *La collection d'art*, écrit Valentiner, *était pitoyable. Sur le mur d'une des salles était apposée une pancarte annonçant un soi-disant "début de collection". Il y avait une demi-douzaine de tableaux de maîtres accrochés en* *désordre… [une autre salle abritait] des maîtres du XVIIIe siècle de la collection Marion Davies, exposés sous verre et si mal accrochés que l'on comprend que certains étudiants les eussent pris pour des faux. »* [4]

Valentiner se met immédiatement au travail. Son attirance pour la Californie est liée, entre autres, à sa fascination pour William Randolph Hearst, qu'il connaît bien, et pour l'industrie du cinéma. Ami de nombreux acteurs, écrivains et producteurs de cinéma, il entend faire partager à tous sa passion de l'art. Le premier à se laisser aisément convertir est William Randolph Hearst, qui donne au musée de nombreuses sculptures importantes, dont certaines de l'antiquité classique,

provenant pour la plupart des collections Lansdowne et Pope. Les sculptures médiévales dont il fait également don au musée restent à ce jour uniques en leur genre en Californie. Hearst apporte aussi son soutien financier à certaines acquisitions de Valentiner, dont la toute première, une *Annonciation* d'Andrea Della Robbia, que Josheph Duveen avait tenté en vain de vendre à Henry Clay Frick.

Comme à Detroit, Valentiner est tributaire de ses relations d'amitié avec les marchands pour construire la collection, surtout dans les domaines où les mécènes ne lui sont guère utiles. Ainsi, parmi d'autres, Jacob Heimann fait don de peintures de Caracciolo et de Domenico Fetti, David Koetser

Fig. 4 – Salvator Rosa

Paysage avec hommes en armes, vers 1640, huile sur toile, ovale, 76,2 x 99,06 cm, The Los Angeles County Museum of Art, collection William Randolph Hearst (51.44.1)

Landscape with Armed Men

Fig. 5 – Filippo Tarchiani

Le Dîner chez Emmaüs, vers 1625, huile sur toile,
99,06 x 137,16 cm, The Los Angeles County Museum
of Art, collection William Randolph Hearst (49.17.13)

The Supper at Emmaus

Avec le recul du temps, certaines acquisitions de peintures baroques et du XVIIIe siècle peuvent paraître relever d'une démarche à la fois visionnaire et timide chez Valentiner. S'y reflète sans doute un goût modéré pour ce type de peinture ainsi que le peu d'affection dont elle jouit à l'époque – avant sa redécouverte et sa promotion moins de dix ans plus tard par de grands historiens de l'art britanniques comme Denis Mahon et Ellis Waterhouse.

Je dirais néanmoins que là aussi Valentiner nous a laissé un grand héritage. Sa vision d'ensemble et son travail acharné dans la construction de musées encyclopédiques l'amenèrent à embrasser la peinture italienne des XVIIe et XVIIIe siècles. Les collections qu'il a réunies, aussi incomplètes et imparfaites fussent-elles, ont en effet fourni à ses successeurs un cadre à même d'évoluer.

À l'heure actuelle, le musée de Detroit et celui de Los Angeles comptent, l'un et l'autre, une collection importante et représentative de peinture italienne baroque et du XVIIIe. À Detroit, Fred Cummings a procédé à des acquisitions remarquables, notamment de peintures signées Guido Reni, Guerchin, le Caravage, Luca Giordano et Gaetano Gandolfi, réalisant ainsi l'ambition de Valentiner qui tenait tant à faire connaître en profondeur l'art de la péninsule. Quant au musée de Los Angeles, il s'est engagé dans une voie nouvelle, à commencer par les brillantes acquisitions de Scott Schaefer, dont certaines œuvres de Reni, de Tanzio da Varallo ou de Mattia Preti, et il est ainsi devenu au fil des ans, et à la surprise de nombreux visiteurs, un site important pour la peinture baroque. Grâce à la grande générosité des donateurs, c'est une voie que le musée continue d'explorer aujourd'hui encore. Cette politique d'enrichissement des collections doit beaucoup à la vision de son premier directeur, William Valentiner.

d'un éblouissant Nicola van Houbraken, Frederick Mont d'un Andrea Boscoli et Adolph Loewi d'une étude préparatoire de Piazzetta pour le tableau acheté par Valentiner à Detroit. Si, depuis, la collection s'est dessaisie d'un certain nombre de pièces – pas toutes – jugées mineures ou de moindre qualité, certaines acquisitions plus importantes de Valentiner – souvent obtenues grâce à la générosité de William Randolph Hearst – sont encore aujourd'hui exposées à Los Angeles, y compris, par exemple, deux importants paysages de forme ovale par Salvator Rosa (fig. 4), un Corrège de petit format, un tableau rare Filippo Tarchiani (fig. 5) et *L'Atelier du peintre* d'Alessandro Magnasco.

1– Le présent essai s'appuie très largement sur l'information puisée dans les longs extraits du manuscrit publiés par Margaret Sterne dans *The Passionate Eye: The Life of William R. Valentiner* (Wayne State University Press, Detroit, 1980).
2– Sterne, *op. cit.*, p. 54.
3– Wilhelm von Bode, *Mein Leben*, 2 tomes, Hermann Reckendorf, Berlin, 1930.
4– Sterne, *op. cit.*, p. 314.

From Berlin to Los Angeles: William R. Valentiner and the Creation of the American Encyclopedic Museum

J. Patrice Marandel (Chief Curator of European Art, Los Angeles County Museum of Art)

In this short talk, I would like to evoke the pioneering role of William Valentiner in the creation of the American encyclopedic museum. I will discuss in particular the part played by old master paintings. My topic is not just historical but also has a modern relevance, as the model established by Valentiner – a model adopted by many museums in America – is currently being challenged, most dramatically (and ironically) in museums to which Valentiner contributed his knowledge and imagination.

His name may not be as well known to young scholars and museum curators today as it was thirty or forty years ago, yet Valentiner – born Wilhelm Valentiner in 1880 in Karlsruhe where he was raised by strict Lutheran foster parents – was to become one of the most influential museum directors of his generation. His career, begun under the auspices of Wilhelm von Bode at the Kaiser Friedrich Museum in Berlin, developed in New York at the Metropolitan Museum, then at the Detroit Institute of Arts, and in Los Angeles at both the so-called Los Angeles Museum of Art, later to become the Los Angeles County Museum of Art, and at the J. Paul Getty Museum, which he played a role in establishing. Finally his "retirement years" took him to the North Carolina Museum of Art in Raleigh. Valentiner's papers, now kept in Raleigh, are a rich source of information concerning his formative years, as well as his career in America. Valentiner wrote an unpublished autobiography,[1] which documents in great detail his evolution from student to museum director. A brilliant scholar at the universities of Leipzig and Heidelberg, it was clear that he was destined for a great career. His early interest, which he kept all his life, was, rather predictably, the Dutch school. An encounter with and apprenticeship under Cornelis Hofstede de Groot were crucial. The young Valentiner was entrusted first with working on Hofstede de Groot's catalogue of Rembrandt's drawings (published in London 1909-26), and later on the same author's *Catalogue Raisonné of the Works of the Most Eminent Dutch, Flemish and French Painters*, published in London in 1929. In his own words: "My chief task was to put together in a consistent narrative the notes which Hofstede de Groot had made of Dutch paintings on his travels and the description of the same paintings by John Smith, along with notes on the paintings from older auction or collection catalogues."[2] These Dutch studies culminated in Valentiner's first major work, *Rembrandt und seine Umgebung*, published in Strasbourg in 1905.

That publication, and a strong recommendation from Hofstede de Groot, brought him to the attention of Wilhelm von Bode, the director of the newly established Kaiser Friedrich Museum in Berlin.

The Kaiser Friedrich Museum was conceived in 1883 by Princess Victoria of Prussia. Its construction began in 1897 and its opening took place in 1904. Bode, its first director, also wrote his memoirs,[3] in which he explains and develops his ideas for a new kind of museum. A particular strategy that would deeply influence Valentiner's own vision of museums was the presentation side by side of paintings and sculptures, something no other museum had yet done. Bode's memoirs reveal little if anything of his relationship with Valentiner who is only mentioned once among the various talented curators he hired to execute his plans. Valentiner's own memoirs, while always deferential to Bode's memory, calling him "a person of true genius" reveal little more.

There is no doubt that the young and brilliant Valentiner exerted a fascination upon Bode who hired him as a personal assistant, traveled with him on lengthy journeys throughout Europe, and introduced him to collectors as well as to dealers. More importantly still, while recognizing Valentiner's knowledge of Northern paintings, he encouraged him, indeed ordered him, to broaden his field of expertise. During the two years Valentiner spent at the Kaiser Friedrich Museum, he was first associated with the painting department, then with the Islamic department, the decorative arts department, and finally with the prints collection, all fields that remained of great significance in his later career.

Unlike the galleries of Paris, Vienna, or Madrid that incorporated large royal or imperial collections, the Kaiser Friedrich Museum (even more than the already well-established National Gallery in London) offered an attractive model to the museums that were created at the same time in America. Although established by imperial decree, the museum did not benefit from the imperial collections kept at Potsdam. It was a museum thought out and organized by art historians. Bode's creation generated a ripple effect throughout the museum world. For American museums, his work was as exemplary as it was original. It was also an unusually modern vision, appealing to new museums.

Let us consider, for instance, Bode's slightly mad ambition to represent in the museum's collection every Italian school, no matter how "unknown" or provincial.

The results of this project are nowadays difficult to appreciate as the paintings in the Berlin collection have not only been separated from the sculptures but also divided at the current Gemäldegalerie into a primary collection upstairs and a secondary one downstairs. Put together, these would not only be one of the most dazzling displays of Italian art, but also one of the most systematic: a visual equivalent, so to speak, of what was then considered the most advanced form of contemporary scholarship, Bernard Berenson's or Hofstede de Groot's "lists."

It is therefore not surprising that the Director of The Metropolitan Museum of Art, the Englishman Sir C. Purdon Clarke, turned to Bode and asked him if he could recommend a young scholar to come to his museum. I will not venture into guessing why Bode suggested Valentiner: genuine desire to help him out (his salary in Germany was absurdly low), and perhaps a touch of jealousy or impatience toward the young scholar. Valentiner, who in his memoirs alludes discretely to a possible disagreement between the two, may himself have welcomed a way out, as Max Friedländer was well established in his position as head of the paintings section and, still young, was not likely to leave his post any time soon. In any case Valentiner arrived at the Met in 1908.

A growing institution with a relatively small staff, the Met offered Valentiner an opportunity to put in practice some of the lessons he had learned in Berlin. The museum's most powerful trustee, J. P. Morgan, approved Valentiner's appointment as curator of decorative arts, and Valentiner quickly showed how these works, most donated by Morgan himself, could be displayed more effectively if integrated with paintings and sculptures of the same period. His relationship with the great collector was a difficult one but based nonetheless on mutual respect. Morgan could be dismissive of Valentiner's installations to the point of quipping that one of them "looked like a junk shop" but admired the universality of his knowledge. In spite of his connoisseurship in both Italian Renaissance painting and Dutch art, Valentiner was not formally associated with the Met's painting department – at a time its director was increasingly striving to establish specialized departments. Morgan, however, recognized Valentiner's expertise in painting, and it was largely through him that Valentiner connected with several of the major American painting collectors of the early 20th century, whose collections – in line with common practice at the time – he catalogued in lavish publications. Perhaps the most famous of these are his two volumes on the John G. Johnson collection. Published on the eve of World War I, these works marked an end to the first phase of Valentiner's activities in the United States, a country he would not return to until 1921.

Valentiner's name is forever linked with the creation of the Detroit Institute of Arts, one of the greatest American museums. First as a consultant and later as the museum's director, Valentiner (fig. 1) was given "carte blanche" to build the museum's collections. Just listing his achievements, from acquiring antiquities to commissioning Diego Rivera to paint murals within the building, would be a very lengthy task indeed. I would like to concentrate on a less well-known aspect of his collecting, namely that of Italian pictures. Trained, as we have seen, as a scholar in Dutch and Northern painting, the author of numerous publications on that subject, Valentiner was nonetheless deeply attracted to the art of the South. He traveled extensively though Italy, guidebook and notepad in hand. Predictably for a man of his generation, Valentiner especially appreciated the arts of the early Renaissance. Italian paintings, from say Correggio to Tiepolo, were not faring very well with American museums. Considered perhaps too "Catholic," too ornate, or too decorative, they seemed to lack the "gravitas" required of serious, gallery-worthy art. Scholarship in the field was either too recent (it was just beginning to flower) or considered "too foreign" to be accessible. Forays into collecting Baroque pictures by such rare individuals as Chick Austin in Hartford were mostly considered as eccentricities, albeit brilliant ones. Even though Detroit could boast some Baroque pictures in its holdings as far back as the 1890s, there was nothing significant enough upon which to build a representative Italian Sei- and Settecento collection.

I would argue that it was Bode's example of assembling as representative as possible a collection of Italian painting that inspired Valentiner to introduce works of the 16th to 18th century in Detroit's collection. The choice of works may seem odd at first and hardly reflects a desire to acquire landmark paintings. One could almost argue that Valentiner was writing the footnotes before writing the text. But these acquisitions, based on opportunities as well as a genuine, immediate response to the quality of the works, resonate deeply with our own sensibility today. His first acquisition of an 18th-century Italian painting was not, as one might imagine, a Giovanni Battista Tiepolo, but instead a work by his son Giovanni Domenico – the splendid *Alexander the Great with the Women of Darius* (fig. 2), a painting executed in Würzburg, and acquired in 1925. Compared to it, the acquisition of a small *Madonna and Child* by Giovanni Battista in 1929 may seem indeed modest, but the inequality between father and son was addressed fourteen years later when Valentiner purchased Giovanni Battista's important *Saint Joseph and the Christ Child* of 1767-9, originally painted for the Church of San Pascual in Aranjuez. Going back to the Seicento, an inspired mistake was the acquisition of *The Fruit Vendor* as a Caravaggio – who else? – but in fact one of the masterpieces of the still mysterious Pensionante del Saraceni. Works by Ottavio Leoni, Domenico Fetti and Pietro da Cortona (fig. 3) were acquired in the 1930s and 1940s at a time these artists were little appreciated. More mainstream and grander acquisitions of Settecento paintings by

Giovanni Battista Piazzetta, Bernardo Bellotto and Canaletto were also secured during those years.

In Los Angeles, where he arrived in 1946, Valentiner was invited to give direction to the local museum, which for decades had existed as part of a city museum comprising both fine arts and natural history. He found a situation infinitely more dire than in Detroit: an unfinished and ugly building, no staff but a secretary, who, when asked what she was doing, replied "nothing," and no collection to speak of. Valentiner wrote: "The art collections were deplorable. In one gallery a wall had a sign saying 'the beginnings of a collection.' There were half a dozen old masters placed one next to another without any order… [another gallery contained] the Marion Davies collection of French eighteenth-century masters, which were shown under glass and so badly hung that one could understand why some students believed them to be forgeries."[4]

Valentiner got to work right away. The reasons for his move to California included on the one hand his fascination and familiarity with William Randolph Hearst and on the other the movie industry. A friend of many actors, writers, and producers, he hoped to convert them all to his belief in art. The easiest convert turned out to be William Randolph Hearst, who gave major pieces of sculpture to the museum, classical antiquities among them – most of which came from the Lansdowne and Pope collections. His gifts of medieval sculpture remain to this day the only collection of such works in California. Hearst also supported acquisitions, including Valentiner's first purchase, an *Annunciation* by Andrea Della Robbia which Joseph Duveen had tried unsuccessfully to sell to Henry Clay Frick.

As he had in Detroit, Valentiner depended on his friendship with dealers to build the collection, particularly in those areas for which he could garner little help from donors. Thus Jacob Heimann gave paintings by Caracciolo and Domenico Fetti, David Koetser a stunning Nicola van Houbraken, Frederick Mont an Andrea Boscoli, Adolph Loewi a study for the Detroit Piazzetta, and so on. Many – but not all – of these pictures deemed minor or lacking in quality have since left the collection, whereas some of Valentiner's more substantial acquisitions – often obtained through William Randolph Hearst's generosity – are still on view in Los Angeles, including, for instance, an important pair of oval landscapes by Salvator Rosa (fig. 4), a small Correggio, a rare Filippo Tarchiani (fig. 5), and *The Artist's Studio* by Alessandro Magnasco.

Valentiner's purchases of Baroque and 18th-century paintings may seem in hindsight both inspired and timid. They certainly reflect Valentiner's own moderate taste for this kind of painting, as well as the period's modest appreciation of such art – preceding its rediscovery and promotion less than a decade later by great British art historians, in particular Denis Mahon and Ellis Waterhouse.

I would argue, nonetheless, that Valentiner's legacy was important in this field as well. His global vision and relentless efforts to build encyclopedic museums led him to encompass Italian Sei- and Settecento paintings. The collections he left, incomplete and imperfect though they may have been, provided nonetheless a framework for his successors to develop.

Today, both Detroit and Los Angeles boast large and representative collections of Baroque and 18th-century Italian painting. In Detroit, Fred Cummings's extraordinary purchases of paintings by Guido Reni, Guercino, Caravaggio, Luca Giordano, Gaetano Gandolfi and others realized Valentiner's plan to display in depth the art of the peninsula. And in Los Angeles, starting with Scott Schaefer's brilliant acquisitions of works by Reni, Tanzio da Varallo, and Mattia Preti, the museum embarked on a new path and over the years has become, surprisingly for many visitors, an important repository of Baroque painting. Thanks to the great generosity of our donors, it is a path the County Museum continues to explore to this day. And much of this is owed to the vision of its first director, William Valentiner.

1– Large excerpts from the manuscript have been published in Margaret Sterne's *The Passionate Eye: The Life of William R. Valentiner*, Wayne State University Press, Detroit, 1980, from which much of the information contained in this essay has been drawn.

2– Sterne, *op. cit.*, p. 54.

3– Wilhelm von Bode, *Mein Leben*, 2 vols., Hermann Reckendorf, Berlin, 1930.

4– Sterne, *op. cit.*, p. 314.

Chick Austin met le Baroque à l'honneur à Hartford et Sarasota

Eric Zafran

Retired Hilles Curator of European Art, Wadsworth Atheneum

Il est rare qu'un seul homme (s'il n'est ni roi ni pape) ait une influence marquante sur l'histoire du goût et des collections. Ce fut pourtant le cas de A. Everett Austin, Jr. Connu sous le nom de « Chick », il fut durant trente ans, de 1927 à 1957, le directeur de deux musées américains, qu'il transforma en fer de lance de l'art baroque, qui connaissait un nouvel engouement[1]. Comme le note très justement Pierre Rosenberg « *Austin fut l'un des premiers partisans du baroque aux États-Unis, et malgré un climat de semi indifférence pour ce style, il parvint à acquérir pour les musées de Hartford et Sarasota, dont il était directeur, d'importantes œuvres françaises et italiennes qui font aujourd'hui la gloire de ces musées.* »[2]

Chick Austin naît en décembre 1900. Son père est médecin à Boston, mais c'est sa mère, issue d'une riche famille de Pennsylvanie et éprise de culture, qui déterminera le cours de sa vie. La famille séjourne en Europe au début du siècle et c'est ainsi qu'Austin apprend l'allemand et le français. De retour à Boston en 1910, il fréquente une école privée avant d'entrer à Harvard en 1918 pour étudier les beaux-arts[3]. En 1922, Austin participe à l'expédition archéologique de Harvard et du musée des Beaux-Arts de Boston en Égypte et au Soudan. Grâce à un curieux concours de circonstances, ce voyage se révélera déterminant pour sa connaissance de l'art baroque italien : son navire fait escale en Italie, et il profite de cette semaine à terre pour visiter la vaste exposition totalement novatrice *Pittura Italiana del Seicento e del Settecento*, qui se tient alors au palais Pitti à Florence[4]. Cette grande exposition comporte plus de mille œuvres, allant du Caravage à Tiepolo, et dans la Sala Verde consacrée à Strozzi et Fetti, l'extraordinaire chef-d'œuvre de Strozzi, *Sainte Catherine d'Alexandrie* (fig. 1), fait forte impression sur lui.

Chick rentre à Harvard en 1923. Il suit alors des cours avec le directeur du Fogg Art Museum, Edward Forbes, sur les techniques picturales et avec le sous-directeur du Fogg, Paul Sachs, sur les carrières liées aux musées. Il devient même l'assistant de Forbes pendant trois ans, et c'est par l'intermédiaire de Forbes que le président du conseil du Wadsworth Atheneum, Charles Goodwin, qui cherchait un nouveau directeur de musée, entend parler d'Austin. Dans sa lettre de recommandation de 1927, Forbes écrit : « *C'est un bel homme, intelligent et qui a du goût, et je crois qu'il ferait un très bon directeur.* » Austin obtient le poste, et il arrive à Hartford en octobre 1927, (fig. 2)[5]. Le Wadsworth Atheneum à Hartford dans le Connecticut est le plus ancien musée d'art public américain en activité. Il a été inauguré en 1844 par un collectionneur au sens civique développé, Daniel Wadsworth, fils d'un riche homme d'affaires, qui a donné un terrain familial situé dans le centre-ville de Hartford, et légué sa collection qui était principalement consacrée à de grands exemples de la peinture américaine[6]. Il possédait quelques œuvres européennes, et le musée conserve encore

Fig. 1 – Bernardo Strozzi

Sainte Catherine d'Alexandrie,
v. 1615, huile sur toile, 175,6 x 123,2 cm
Hartford, The Wadsworth Atheneum,
Fonds de collection Ella Gallup Sumner et Mary Catlin
Sumner doté en mémoire de A. Everett Austin, Jr.
par Mme A. Everett Austin, Jr. (1931.99)

Saint Catherine of Alexandria

son unique tableau italien du XVIIe siècle, un *Ruth et Boaz* qui fut un temps attribué à Andrea Schiavone[7].

En 1927, malgré le legs de la très belle collection d'arts décoratifs de J. P. Morgan, le musée est en sommeil, et c'est le jeune Austin (il a 26 ans) qui est chargé de le réveiller. Austin est parfait pour le poste dans la mesure où il s'inspire de la manière de travailler du fameux impresario Serge Diaghilev, dont il admire profondément les Ballets Russes en Europe chaque saison depuis 1923[8]. Dans son rôle d'impresario du musée, Austin organise de nombreuses expositions inédites, comme la première exposition surréaliste et la première grande rétrospective Picasso en Amérique. Par ailleurs, il lance des cours pédagogiques d'art, présente des films, de la musique et de la danse, notamment en 1934 la première de l'opéra de Gertrude Stein/Virgil Thomson, *Quatre Saints en trois actes*, et les premières représentations publiques de l'American Ballet Company sous la direction de George Balanchine[9].

L'une des décisions les plus éclairées d'Austin sera d'épouser une cousine de Charles Goodwin, le président du musée. C'est ce qui lui permet peut-être de conserver son poste de directeur plus longtemps qu'il n'est habituellement possible. Il épouse Helen Goodwin à Paris en juillet 1929. Durant leur voyage de noces, ils trouvent le modèle pour leur nouvelle demeure de Hartford : la Villa Ferretti. Proche de Venise, elle a été conçue en 1596 par Vincenzo Scamozzi, élève et rival de Palladio. Profonde de moins de cinq mètres, la villa possède une longue façade – « *tout en façade, comme moi* », a coutume de s'exclamer gaiment Chick Austin[10].

Mais plus importante encore que les édifices construits par Austin se trouve la collection qu'il peut, grâce à un legs opportun provenant de la famille Sumner, enrichir simultanément dans les deux domaines qui l'intéressent le plus. Il achète d'une part des grands maîtres, notamment des périodes baroque et rococo, et des œuvres d'artistes des XVIIIe et XIXe siècles comme Greuze, Goya, Corot, Gauguin, et Degas. Et par ailleurs, témoignant sa sympathie pour l'art contemporain, il est parmi les premiers à acquérir des Picasso, des surréalistes comme Dalí, Miró et Ernst, et des modernistes comme Mondrian et Calder[11].

Dès lors qu'Austin prend la direction du musée, il ne perd pas de temps à chercher des œuvres à acheter. Il se tourne vers son vieil ami de Harvard, Kirk Askew, qui travaille pour la succursale new-yorkaise de Durlacher Brothers, firme londonienne établie de longue date, spécialisée dans les œuvres baroques. Ainsi, fin 1929, comme en témoignent les archives du musée, Askew vend à l'Atheneum ses trois premières acquisitions baroques sous la direction d'Austin[12]. La petite *Scène nocturne avec personnage* de Salvator Rosa coûte à l'époque 900 dollars. Elle provient de la collection Holford de Dorchester House à Londres et semble caractéristique de Rosa. Malheureusement, du fait justement de son romantisme, l'œuvre n'est plus considérée aujourd'hui que comme un pastiche réalisé à la manière du maître.

Fig. 2 – Deford Dechert

A. Everett (Chick) Austin, Jr. à Hartford, 1938
Avec l'aimable autorisation des archives
du Wadsworth Atheneum

A. Everett (Chick) Austin, Jr. in Hartford

Les deux autres peintures italiennes baroques achetées chez Durlacher sont beaucoup plus impressionnantes. Il s'agit d'une paire d'immenses tableaux de Luca Giordano, *L'Enlèvement d'Hélène* et *L'Enlèvement d'Europe*, achetée pour 12 000 dollars. Ils sont splendides exposés dans le musée, et pour mettre en valeur ces premières acquisitions passionnantes, pour promouvoir l'appréciation du baroque et pour inciter un public plus vaste à découvrir l'Atheneum, Austin décide en janvier 1930 d'organiser ce qui sera la première grande exposition de peintures et dessins baroques en Amérique. Deux semaines durant, *Italian Painting of the Sei- and Settecento* présente plus de soixante peintures et soixante-dix dessins provenant des quatre coins de l'Amérique[13]. Austin écrit à John Ringling, dont le musée est en cours de construction à Sarasota, en Floride : « *Cela fait tant d'années que le baroque est sous-estimé, je veux faire tout mon possible pour que cela change.* »[14] Monsieur Ringling ne lui répond malheureusement pas, mais comme en témoignent les photographies de l'installation, Austin a plus de chance auprès d'autres collectionneurs, musées et marchands. Le collectionneur Frank Gair Macomber, de Boston, lui envoie son grand *Saint Sébastien soigné par sainte Irène* de Luca Giordano, dont il fera ensuite don à l'Atheneum. Parmi les œuvres de l'école du Caravage, on trouve un *Saint Sébastien* (attribué aujourd'hui à Giovanni Battista Caracciolo) en provenance du Fogg Art Museum et une version des *Joueurs de cartes*[15]. Wildenstein and Company envoie un petit *Portrait d'un jeune garçon*. Il est acheté pour 6 500 dollars, mais Austin réalise assez vite qu'il ne s'agit pas d'un Caravage mais plutôt d'une œuvre française. Aujourd'hui, c'est une des peintures attribuées par Anthony Blunt au « Maître des garçons à bouche ouverte »[16]. Et Austin continue donc à chercher un authentique Caravage.

Dans l'intervalle, il s'intéresse à d'autres acquisitions et projets. En janvier 1931, il organise une grande exposition de *Peintures de paysages*, pour laquelle il obtient chez Durlacher les *Paysans dans un paysage* de Louis Le Nain, un des premiers tableaux de cette école de l'art français à entrer dans une collection américaine. Une de ses acquisitions les plus spectaculaires est sans doute celle

de 1931 : il réussit à acheter pour 17 000 dollars au marchand vénitien Italico Brass le *Sainte Catherine d'Alexandrie* (fig. 1) de Strozzi, cette même œuvre splendide qu'il avait tant admirée lors de l'exposition de Florence de 1922. Toujours en 1931, il achète chez Durlacher pour 3 000 dollars une minuscule *Annonciation* portant le monogramme de Caracciolo.

L'été de cette même année, Austin se rend en Allemagne. À Munich, il visite la galerie de Julius Böhler, qui lui propose pour 4 200 dollars la version réduite de la *Vue de Pirna* de Bernado Bellotto. Toujours en 1931, il achète à Adolph Loewi de Venise, pour 5 000 dollars, la merveilleuse *Tentation* de Pietro Longhi. Pour 29 000 dollars, Durlacher lui fournit une autre œuvre vénitienne, *La Dernière Cène* de Giovanni Domenico Tiepolo, qui date de la fin des années 1750 et provient de la collection Rothschild. En 1933, le même marchand lui procure un grand *Paysage avec Tobie et l'Ange* de Salvator Rosa, authentique celui-là. Il provient de la collection d'Osterley Park de Lord Jersey et coûte 3 100 dollars. En 1935, c'est encore auprès de Durlacher qu'Austin achète un brillant Francesco Guardi, la *Vue de la Piazzetta* à Venise pour 3 000 £.

À cette époque, Austin compte également sur un autre grand marchand, Paul Byk de chez Arnold Seligmann, Rey and Co, qui entretient des rapports bienveillants et chaleureux avec le directeur et sa famille[17]. Byk apporte d'abord la magnifique et immense *Crucifixion* de Nicolas Poussin – quelque peu endommagée. Elle a été peinte en 1645 pour le président du parlement de Paris, Jacques-Auguste de Thou, et a par la suite appartenu à Jacques Stella, ami et collègue de Poussin. Byk la cède à prix d'ami pour 12 500 dollars. Kirk Askew dira plus tard de Chick, « *le très profond l'émeut autant que le très frivole le ravit.* »[18] La même année, il achète également chez Seligmann, Rey and Co. le charmant *Autoportrait de l'artiste dans son studio* de Giuseppe Maria Crespi pour 3 500 dollars. Toujours en 1936, auprès du même marchand, il se procure pour 5 000 dollars un *Portrait de Sir Humphrey Morice* de Pompeo Batoni. En mai 1936, Byk lui propose pour à peine 500 dollars un Solimena représentant des scènes de la vie de saint

Benoît apparenté aux peintures du plafond du monastère dominicain du Mont-Cassin (détruites pendant la Seconde Guerre mondiale par le bombardement allié de 1944).

En 1937, alors qu'on peut encore se rendre en Europe sans encombre, Austin passe l'été à voyager à la recherche de peintures baroques à prix avantageux. Il trouve son bonheur à Vienne, où il achète plusieurs œuvres à Frederick Mondschein de la Galerie Sanct Lucas. Il acquiert pour 150 dollars un *Saint Sébastien* représenté en buste attribué à Guido Reni – identifié plus raisonnablement par la suite comme étant de Carlo Dolci. Il se trouve qu'Austin a d'ailleurs acheté en même temps un Dolci reconnu – *L'Enfant Jésus avec des fleurs* – pour seulement 170 dollars. Toujours en 1937, Austin se rend à la Knoedler Gallery de New York, et son directeur, Charles Henschel, lui propose au « tarif préférentiel » de 3 500 dollars, un insolite Alessandro Magnasco florentin, *La Partie de chasse des Medici.*

1937 est également une grande année pour les achats baroques. Le plus exceptionnel est peut-être le splendide *Saint Georges et le dragon* de Claude Le Lorrain que Durlacher a fait acheminer par bateau de Londres à New York en septembre 1936 pour le proposer à plusieurs musées. Bien que séparé de son pendant de la National Gallery de Londres, le tableau bénéficie d'une excellente provenance et il figure dans le *Liber Veritatis*. Il est acquis pour un peu plus de 17 000 dollars, et le *New York Times* le qualifie immédiatement de « chef-d'œuvre »[19]. Cette même année, Byk fournit le grand *Saint François Xavier* de Murillo pour 8 000 dollars et le délicieux *Portrait du Castrat Scalzi* de Charles Joseph Flipart dans lequel, selon Chick, « *se trouve concentré l'esprit même du rococo.* »[20] La Galerie Sanct Lucas de Vienne fournit *Le Festin de Balthazar* de Monsù Desiderio ou de Nomé pour 1 125 dollars.

L'activité se poursuit l'année suivante quand en janvier et février 1938 Austin présente une de ses expositions les plus caractéristiques, *Les Peintres de natures mortes*, remarquable pour son association d'œuvres anciennes et modernes. En vue de cette exposition, il s'est procuré en 1937, auprès de deux sources totalement disparates, des natures mortes d'instruments de musique qu'il attribue à Evaristo Baschenis. Il achète la première au marchand hollandais Pieter de Boer pour 400 dollars ; la seconde vient de chez Julien Levy qui, comme Austin, s'attache à promouvoir les surréalistes. Le goût de Chick pour les surréalistes est encore plus évident dans la paire de « Saisons » de l'école d'Arcimboldo représentant *Le Printemps* et *L'Été*, qu'il achète à un marchand parisien en 1939 pour la modique somme de 1 400 dollars. Durlacher lui procure cette même année une autre sorte de nature morte, assez différente, avec des éléments de genre. Il s'agit du grand *Étal de fruits* dans le style de Vincenzo Campi. Les œuvres les plus importantes trouvées par Austin pour son exposition de *Natures mortes* sont peut-être la *Nature morte aux pigeons* du maître espagnol Luis Meléndez, achetée au marchand hollandais D. A. Hoogendijk pour à peine 950 dollars et la *Nature morte aux coquillages* de Balthasar van der Ast provenant de P. de Boer[21]. Anticipons un peu et notons que c'est en 1941 qu'une nature morte caravagesque encore plus importante fait son apparition dans la galerie new-yorkaise de David Koetser. Elle est alors attribuée par Wilhelm Suida au peintre milanais Fede Galizia. Austin la trouve fascinante, et il parvient à l'acheter pour seulement 2 500 dollars. Très récemment, elle a été publiée comme étant de Prospero Orsi, mais l'Atheneum préfère judicieusement conserver l'appellation traditionnelle de « Maître de la nature morte de Hartford » que lui avait donnée Charles Sterling[22].

Reprenons le cours chronologique des choses : nous sommes en 1938, et Durlacher fournit le *Retour de la Sainte famille* pour 35 000 dollars. Cela en fait une des acquisitions les plus onéreuses du musée mais malheureusement, elle est aujourd'hui considérée comme étant principalement une œuvre d'atelier. L'exubérante *Scène de carnaval sur la Piazza Colonna, Rome* de Jan Miel, du marchand new-yorkais J. B. Neuman, est un autre tableau du nord. En 1939, la collection s'enrichit de plusieurs œuvres vénitiennes. Austin achète à Frederick Mondschein un rare *Portrait* de Tiberio Tinelli, pour 1 250 dollars. De chez

Mondschein vient également l'étude à l'huile de *Saint Jean Népomucène* de Franz Anton Maulbertsch – l'une des rares œuvres de l'école allemande du XVIIIᵉ siècle qui soit exposée en Amérique. Un Canaletto inhabituel représentant un *Paysage avec ruines* est acheté chez Adolph Loewi à New York pour 1 600 dollars, et un grand Carlevarijs, parfois attribué à Richter, de la *Fête de Sta. Maria della Salute* chez Wildenstein pour 3 000 dollars. Toujours en 1939 et pour le même prix, Askews de Londres fournit le magnifique *Vanitas* de Juan de Valdés Leal.

Austin s'intéresse aussi à l'École française. En 1939, il achète chez Julius Weitzner la petite scène de genre sur cuivre de Sébastien Bourdon pour 450 dollars. Seligmann, Rey and Co. lui procure en 1938 une remarquable *Nature morte aux livres*, attribuée à Oudry dont on découvrira par la suite qu'elle fut peinte par François Foisse pour le château du grand-duc Stanislas à Lunéville. Du même marchand proviennent aussi plusieurs œuvres de l'École hollandaise : l'œuvre d'atelier de Honthorst, *Le Souper à Emmaüs* ; et un petit bijou, *Le Festin des Dieux* de Poelenburgh, issu de la collection des comtes de Schönborn acquis pour à peine 1 500 dollars. Plus remarquable encore, en 1940, Byk lui vend aussi le *Jeune Garçon au chapeau* de Michael Sweerts (fig. 3) pour 3 000 dollars. Austin trouve immédiatement que ce splendide tableau « rappelle Vermeer »[23], et dès l'année suivante il achète à Koetser un deuxième Sweerts – *l'Enterrement du mort*. Et toujours en 1940, cédant à son penchant pour le théâtre, il achète chez Loewi à New York une série de cinq toiles représentant des scènes du *Carnaval de Venise* du peintre allemand Johann Joseph Scheubel, qu'il accroche dans le hall d'entrée du théâtre du musée.

Les années 1943 et 1944 sont le bouquet final d'Austin pour l'Atheneum. En ce qui concerne le baroque, il achète chez Seligmann, Rey and Co. en avril 1943 le *Saint Sébastien à l'armure*, censé être de Guercino, pour 5 500 dollars. Malheureusement, cette œuvre provenant de la collection du duc de Caledon est aujourd'hui considérée comme un tableau d'école. Paul Byk compense cette déconvenue en produisant un dernier trésor baroque pour

Chick, l'invitant en 1939 à découvrir « *une grande surprise… quelque chose de passionnant et qui correspond parfaitement à ce que vous cherchez.* » Il s'agit du remarquable Caravage *L'Extase de saint François* (fig. 4)[24]. Austin est si impressionné par cette œuvre qu'il en fait la raison d'être d'une exposition organisée à la hâte mais très originale sur les *Scènes nocturnes*. Caractéristique des présentations d'Austin par sa diversité, elle fait le grand écart entre Monsù Desiderio et Albert Pinkham Ryder[25]. Parmi les scènes éclairées à la bougie se trouve un *Saint François* de la collection de Vitale Bloch de Paris attribué à Georges de La Tour. Il sera acheté l'année suivante par l'intermédiaire de Durlacher pour 4 800 dollars. Mais le *Saint François* du Caravage est plus onéreux, à 17 000 dollars, et Chick ayant des problèmes avec ses administrateurs, les négociations se traînent. Ce qui ne l'empêche pas totalement de faire d'autres

Fig. 3 – Michael Sweerts

Jeune Garçon au chapeau, v. 1655-1656,
huile sur toile, 36,8 x 29,2 cm.
Hartford, The Wadsworth Atheneum, Fonds de collection
Ella Gallup Sumner et Mary Catlin Sumner (1940.198)

Boy with a Hat

Fig. 4 – Michelangelo Merisi da Caravaggio

Saint François d'Assise en extase, v. 1594-1595,
huile sur toile, 94 x 129,5 cm, Hartford, Wadsworth
Atheneum Museum of Art, fonds Ella Gallup Sumner
et Mary Catlin Sumner (1943.222)

Saint Francis of Assisi in Ecstasy

acquisitions auprès de ses marchands préférés. En 1942, il achète chez Arnold Seligmann, Rey and Co. le *Roi David jouant de la harpe* de Hendrick Terbrugghen, variante de celui de Varsovie. Et chez Durlacher, pour 2 800 dollars, il acquiert un tableau un peu abîmé mais caractéristique de l'œuvre du peintre napolitain Bernardo Cavallino. Cette *Fuite en Égypte* provient de la collection de Kenneth Clark. Austin parvient enfin à convaincre le responsable du comité des acquisitions d'acheter le Caravage qui, comme il l'a écrit, comporte « *un clair-obscur miraculeux des formes plastiques.* »[26] C'est la première œuvre authentique du maître à figurer dans une collection américaine, et en juin 1943, elle devient la pièce maîtresse d'une exposition de quarante œuvres intitulée *Le Caravage et le XVIIᵉ siècle* qui présente toutes les acquisitions de Chick et sept autres peintures prêtées par des galeries new-yorkaises[27].

Austin est de toute évidence sous pression. Il commence par prendre un congé puis, en janvier

1945, il démissionne de son poste de directeur de l'Atheneum. Il passe quelque temps à Hollywood, où il compte Bette Davis parmi ses amis, et il a l'espoir de percer dans le cinéma[28]. Mais son départ d'Hartford ne met pas complètement fin à son influence sur les acquisitions de l'Atheneum. Alors qu'Austin se trouve à Los Angeles, les administrateurs du musée découvrent, consternés, que trente tableaux qu'il avait fait envoyer au fil des ans dans l'éventualité d'un achat, ne leur ont jamais été présentés et qu'ils sont encore dans les réserves du musée. En novembre 1943, on lui demande alors de choisir ses tableaux préférés afin que les autres puissent être renvoyés à leur propriétaire[29]. Parmi ceux qui restèrent donc à Hartford se trouvaient une supposée collaboration Rubens-Snyders, *L'Étal de marché* de Seligmann, Rey and Co., et un *Garçon tenant une poire* de Piazzetta acheté à Adolph Loewi qui avait ouvert une succursale à Los Angeles pour 2 600 dollars. Mais la peinture baroque la plus impressionnante est celle prêtée au musée à l'occasion de l'exposition du Caravage de 1943, un *Dédale et Icare*, de chez Seligmann, Rey and Co. attribué par Hermann Voss à Bernardo Cavallino. L'Atheneum l'achète pour 5 000 dollars. C'est une grande et remarquable œuvre caravagesque. En 1966, Roberto Longhi l'attribue correctement à Orazio Riminaldi, peintre de Pise dont les œuvres sont rares.

Cette fois encore, c'est l'intervention fortuite d'Edward Forbes qui permet à Chick Austin d'obtenir son prochain et dernier poste de musée. Lorsque le gouverneur de Floride lui demande s'il peut recommander un directeur pour le musée John et Mable Ringling de Sarasota – que l'État a finalement réussi à officialiser en 1946 –, Edward Forbes suggère Austin, « *un homme dont je considère qu'il est le meilleur qui soit disponible aux États-Unis pour ce poste.* »[30] Immédiatement contacté, Austin accepte tout en stipulant qu'il ne passera que sept mois de l'année à Sarasota, de façon à continuer à s'investir dans le théâtre le reste du temps. En réalité, le musée Ringling est la plus adaptée de toutes les institutions américaines dans lesquelles il aurait pu choisir de travailler. John Ringling, magnat du cirque et autodidacte, est décédé en 1936, et bien qu'il ait légué sa collection et son musée à la ville de Sarasota et à l'État de Floride, l'État met dix ans à prendre possession des lieux et à appointer un directeur. Ringling, avec l'aide du marchand allemand Julius Böhler, a constitué une collection remarquable, notamment par ses œuvres de Rubens dont il détenait quatre des énormes cartons de tapisseries de la série de l'*Eucharistie*. La collection compte en plus de nombreuses peintures baroques des écoles italienne, hollandaise et française, d'artistes tels que Hals, de Heem, Vouet, Poussin, Carracci, Guercino, Rosa, Liss, Dolci, da Cortona, et Sassoferrato[31].

En arrivant au musée en octobre 1946, Austin trouve une situation lamentable. Fondamentalement, il doit faire renaître la collection et la demeure léguées par Ringling. Il a la bonne idée de rendre l'endroit encore plus attractif en créant un musée du cirque : il achète à son vieil ami le marchand Adolph Loewi le théâtre du XVIIIᵉ siècle du château d'Asolo pour à peine 8 000 dollars[32]. Fin 1946, la moitié du musée est déjà ouverte et dès 1948 d'autres galeries sont terminées, les peintures restaurées et en place, et Austin peut fièrement montrer son exploit au public[33]. C'est aussi fin 1946 qu'il obtient les fonds nécessaires à de nouvelles acquisitions. Après cinq ans d'interruption, Chick peut donc recommencer à s'approvisionner sur le marché de l'art. Son tout premier achat pour le musée Ringling est un Rubens de 1655 particulièrement approprié : le *Portrait de l'archiduc Ferdinand* (fig. 5). C'est la Knoedler Gallery qui lui vend pour 30 000 dollars cette œuvre qui figurait autrefois dans la collection du cousin de son épouse, J. Pierpont Morgan.

En 1949, son deuxième achat est l'œuvre d'un artiste qui le fascine depuis longtemps – connu à l'époque sous le nom de Monsù Desiderio mais aujourd'hui appelé François de Nomé. Il s'agit du *Martyre de saint Janvier* acheté en 1950 chez Koetser à New York pour 2 800 dollars. Austin achète même une peinture de cet artiste pour lui-même et entreprend en 1950 d'organiser la première exposition de ce maître mystérieux[34]. Il fait deux autres achats importants cette même année : *l'Acte de miséricorde* de Strozzi – de la collection Oscar Bondy restituée – vendu par Julius Weitzner ; et

pour mettre en valeur le théâtre d'Asolo, une série de quinze peintures décoratives sur les déguisements d'Arlequin de l'artiste Giovanni Domenico Ferretti, ayant appartenu au grand metteur en scène Max Reinhardt.

Fin 1950 Austin achète à Loewi pour 10 500 dollars une grande fresque allégorique transférée en grisaille de Giovanni Battista ou Domenico Tiepolo. Et pour satisfaire son penchant pour le rococo vénitien, il se procure en 1953 une paire de *vedute* vénitiennes de Luca Carlevarijs auprès du marchand hollandais D. A. Hoogendijk. pour 2 800 dollars. À l'instar de celle qu'il avait trouvée pour Hartford, ces deux peintures ont parfois été attribuées à Richter. Du même marchand vient aussi en 1951 une œuvre dans le style préféré d'Austin – une impressionnante nature morte de *Gibier* de Willem van Aelst pour seulement 580 dollars. Cette même année, arrive une scène d'histoire très riche en éléments de nature morte : *Le Banquet*

Fig. 5 – Peter Paul Rubens

Portrait de l'archiduc Ferdinand, 1635,
huile sur toile, 116,2 x 94cm.
Sarasota, The John and Mable Ringling
Museum of Art, achat du musée, 1948 (SN626)

Portrait of Archduke Ferdinand

d'Antoine et Cléopâtre de Claude Vignon, acheté chez Vitale Bloch de Paris pour, comme le dira Chick « *la somme très raisonnable de 1 200 dollars.* »[35] Il figure dans l'une de ses dernières expositions – sur un thème favori, car la cuisine est une autre de ses passions – *L'Art de la table* – en 1956[36]. À cette occasion, d'autres natures mortes plus traditionnelles viennent enrichir la collection : une *Nature morte aux huîtres* signée de Jacob van Es acquise chez Frederick Mont (le nom sous lequel Fritz Mondschein travaillait à New York) pour 1 800 dollars et une *Nature morte aux assiettes* de chez Durlacher attribuée à Juan van der Hamen mais aujourd'hui considérée comme étant de Cristoforo Munari, pour 1 700 dollars. En 1951, Austin lui-

Fig. 6 – Jean Tassel

Le Jugement de Salomon, v. 1650,
huile sur toile, 80,6 x 64,8 cm.
Sarasota, The John and Mable Ringling
Museum of Art, achat du musée, 1957 (SN702)

The Judgment of Solomon

même fait don au musée d'une splendide *Nature morte aux instruments de musique* de Bartolomeo Bettera.

En 1952, Austin se rend à Paris pour assister à la première française de *Quatre saints en trois actes* de Virgil Thomson/Gertrude Stein. Faisant ensuite un peu de tourisme en famille, dans la plus récente de ses splendides automobiles, il s'arrête en Provence chez un ami qui habite Fayence. Il trouve l'endroit si pittoresque qu'il y achète en 1954 une maison médiévale à flanc de colline. Il passera les dernières années de sa vie à rénover et embellir ce lieu où il compte prendre sa retraite[37]. L'exposition *The Artful Rococo*[38] et ses dernières acquisitions témoignent de l'intérêt qu'il porte à la France. Un des plus beaux tableaux exposés est une œuvre rare de Pierre Goudreaux, artiste français du XVIIIe siècle qui travaillait en Allemagne, Le *Pèlerinage de l'amoureux*, acheté chez Loewi pour 5 800 dollars. À sa collection personnelle, il ajoute un *Jugement de Salomon* (fig. 6) attribué à Sébastien Bourdon mais qui sera plus tard (après qu'il a été vendu au musée par les héritiers d'Austin) identifié par Blunt et par Rosenberg comme étant de Jean Tassel[39]. En 1955, ses amis dévoués de chez Durlacher lui procurent la splendide et mystérieuse *Scène de la Commedia dell'arte*, une œuvre d'école, franco-flamande ou de Fontainebleau, dont Pierre Rosenberg affirme depuis longtemps qu'elle est de Jacques Bellange[40]. Enfin, en 1956, une des toutes dernières acquisitions d'Austin est un Poussin qui, avec ses 40,6 cm de haut est aussi petit que celui de Hartford était grand. Mais à l'instar de cette œuvre monumentale, cette *Extase de saint Paul* a elle-aussi été peinte pour un mécène distingué, le collectionneur éclairé Paul Fréart de Chantelou.

Malade, Chick Austin est hospitalisé à Hartford, où il meurt soudainement le 29 mars 1957[41]. L'importance de l'héritage de cet homme qui fut un des plus grands connaisseurs et prescripteurs de tendances qu'ait connus l'Amérique fut presque immédiatement reconnue. Ses successeurs à la tête des deux musées qu'il avait dirigés le qualifièrent fort à propos de « génie »[42]. Ses deux musées, à Hartford et à Sarasota, sont un passage obligé pour tous les passionnés du baroque.

1– La meilleure source d'information sur Chick Austin est l'excellente biographie d'Eugene R. Gaddis, *Magician of the Modern: Chick Austin and the Transformation of the Arts in America*, New York, 2000 ; un recueil d'articles secondaires sur Austin a été publié par A. Everett Austin, Jr. : *A Director's Taste and Achievement*, Hartford et Sarasota, 1958 ; on trouve d'autres appréciations d'Austin dans « Fantasy and Flair » de Denys Sutton, *Apollo*, décembre 1968, p. 407-413 ; Mina Gregori, *Novita sul Caravaggio*, Bergame, 1975, p. 28-29 ; Eugene R. Gaddis, ed., *Avery Memorial – Wadsworth Atheneum: The First Modern Museum*, Hartford, 1984 ; Nicholas Hall « Old Masters in a New World », Nicolas Hall, ed., *Colnaghi in America*, New York, 1992, p. 29-31 ; cf. également les essais du présent auteur, *Botticelli to Tiepolo*, Tulsa, 1994, p. 48-50 et *Renaissance to Rococo: Masterpieces from the Collection of the Wadsworth Atheneum*, Hartford, 2004, p. 14-30.

2– Cf. Pierre Rosenberg, *France in the Golden Age: Seventeenth-Century French Paintings in American Collections*, Metropolitan Museum of Art, New York, 1982, p. 323.

3– Gaddis, *Magician of the Modern*, p. 7-8, 12-14, 16-19 et 23-31.

4– *Ibid.*, p. 32 ; Commune di Firenze, *Mostra della pittura italiana del Seicento e del Settecento*, Palazzo Pitti, Florence, 1922.

5– Gaddis, *Magician of the Modern*, p. 69.

6– Pour connaître l'histoire du Wadsworth Atheneum, cf. le catalogue d'exposition *Daniel Wadsworth: Patron of the Arts*, Hartford, 1981 ; et Eugene R. Gaddis, « The Spirit of Genius, » *Art at the Wadsworth Atheneum*, Hartford, 1992, p. 11-24.

7– Acq. n° 1848.21. Pour toutes les œuvres italiennes et espagnoles figurant dans la collection du Wadsworth Atheneum, cf. Jean Cadogan, *Wadsworth Atheneum Paintings, II, Italy and Spain*, Hartford, 1991.

8– Gaddis, *Magician of the Modern*, p. 39 et p. 222-225.

9– *Ibid.*, Gaddis, *Magician of the Modern*, p. 198-223, 244-248, 338-339, 342-369. Sur Austin et le ballet, cf. Eric Zafran, ed., *Ballets Russes to Balanchine: Dance at the Wadsworth Atheneum*, Hartford, 2004.

10– Gaddis, *Magician of the Modern*, p. 105-124.

11– Cf. Eric Zafran, « Springtime in the Museum: Modern Art Comes to Hartford », *Surrealism and Modernism from the Collection of the Wadsworth Atheneum*, Hartford, 2003, p. 61-129.

12– On trouve confirmation de l'achat dans deux lettres échangées entre Askew de New York et le siège londonien de la société, datées du 20 et du 23 décembre 1926, conservées dans les dossiers Durlacher du Getty Research Center.

13– *Italian Paintings of the Sei- and Settecento*, Wadsworth Atheneum, Hartford, 22 janvier – 9 février 1930.

14– Lettre d'Austin à Ringling datée du 19 novembre 1929, conservée dans les archives de l'Atheneum.

15– Edgar Peters Bowron, *European Painting before 1900 in the Fogg Art Museum*, Cambridge, 1990, p. 101, 107, 205, 343, n°s 212 et 718.

16– Cf. Eric M. Zafran, *Masters of French Painting, 1290-1920, At The Wadsworth Atheneum*, Hartford, 2012, p. 34-35, n° 5 ; et aussi Rosenberg, *France in the Golden Age*, p. 2 et 364 ; Benedict Nicolson, *Caravaggism in Europe*, Turin, 1989, vol. I, p. 87, n° 780.

17– Voir Gaddis, *Magician of the Modern*, p. 313.

18– Kirk Askew, « The Old Master Acquisitions of A. Everett Austin Jr. » à Hartford et Sarasota, 1958, p. 24.

19– *New York Times*, 18 janvier 1937, p. 18.

20– La description d'Austin figure dans le registre du conservateur du Wadsworth Atheneum.

21– Pour les tableaux baroques du nord exposés au Wadsworth Atheneum, cf. Egbert Haverkamp-Begemann, ed., *Wadsworth Atheneum Paintings: The Netherlands and the German-Speaking Countries, Fifteen-Nineteenth Centuries*, Hartford, 1978, p. 114, n° 7.

22– Cf. Edgar Peters Bowron, *Renaissance to Rococo*, p. 68, n° 15.

23– Texte figurant dans le registre du conservateur du Wadsworth Atheneum.

24– Cf. Zafran, *Renaissance to Rococo*, p. 25.

25– *Scènes de nuit*, Wadsworth Atheneum, Hartford, 15 février – 10 mars 1940.

26– Dans *Scènes de nuit*, The Wadsworth Atheneum, Hartford, 1940, n° 5.

27– L'exposition se déroula du 26 juin 1943 au 16 janvier 1944. Cf. Gaddis, *Magician of the Modern*, p. 362.

28– *Ibid.*, p. 363-368.

29– *Ibid.*, p. 364-365.

30– Gaddis, *Magician of the Modern*, p. 372-373 ; et Edward W. Forbes, « A. Everett Austin, Jr., » Hartford et Sarasota, 1958, p. 18.

31– Cf. du présent auteur les essais « John and Lulu » et « A Collection of Baroque Masterpieces », *John Ringling: Legacy of the Circus King*, Sarasota, 1997 ; et Wilhelm Suida, *A Catalogue of Paintings in the John and Mable Ringling Museum*, Sarasota, 1949 ; Denys Sutton, *Masterworks from The John and Mable Ringling Museum of Art*, Galeries Wildenstein, New York, 1981 ; Anthony F. Janson, *Great Paintings from the John and Mable Ringling Museum of Art*, Sarasota, 1993 ; et Stephen D. Borys, ed., *The John and Mable Ringling Museum of Art: Guide to the Collections*, Sarasota, 2008.

32– Cf. Eugene R. Gaddis, « Priceless and Incomparable: Chick Austin and The Asolo Theater » dans *Encore: A New Life for the Historic Asolo Theater*, Sarasota, 2006, p. 17-34.

33– « Ringling's Sarasota Art Museum », *Look*, 26 octobre 1948, p. 89-91.

34– A. Everett Austin, Jr., *The Fantastic Visions of Monsù Desiderio*, Sarasota, 1950.

35– *Report of the Director*, Ringling Museum, Sarasota, 15 décembre 1950.

36– *The Art of Eating: A Loan Exhibition*, The John and Mable Ringling Museum of Art, Sarasota, 29 janvier – 7 mars 1956.

37– Gaddis, *Magician of the Modern*, p. 403-408.

38– *Ibid.*, p. 406.

39– Cf. Rosenberg, *France in the Golden Age*, p. 323-324, n° 104. Dans une lettre datée du 10 août 1959, Peter Murray rapporte à Creighton Gilbert que « *Anthony Blunt pense que le* Jugement de Salomon *attribué à Bourdon est en réalité une œuvre de Tassel.* »

40– Dans des lettres de Pierre Rosenberg à la conservatrice du Ringling, Elisabeth Telford, datées du 29 novembre 1973 et du 24 mai 1978 ; et Rosenberg, *France in the Golden Age*, n° 5.

41– Gaddis, *Magician of the Modern*, p. 420-423,

42– Charles C. Cunningham et Kenneth Donahue, « Préface », *A. Everett Austin, Jr*, p. 8.

Chick Austin Builds the Baroque in Hartford and Sarasota

Eric M. Zafran (Retired Hilles Curator of European Art, Wadsworth Atheneum)

Very seldom does one man (unless a king or a pope) get to make a huge impression on the history of taste and collecting. But that was the special case of A. Everett Austin, Jr., known to the world as "Chick," who during the thirty years from 1927 to 1957 was the director at two American museums – the Wadsworth Atheneum in Hartford, Connecticut, and The Ringling in Sarasota, Florida – and made them into focal points for the revived interest in Baroque art.[1] As Pierre Rosenberg has rightly observed, "Austin was one of the first proponents of the Baroque in the United States, who despite a climate of semi-indifference to the style, was able to acquire for the museums of Hartford and Sarasota, both of which he was director, important French and Italian works that are today the glory of those museums."[2]

Chick Austin was born in December of 1900. His father was a Boston doctor, but it was his mother, from a well-off Pennsylvania family, who with her love of culture would determine his course in life. The family spent time in Europe in the early part of the century and Austin was thus able to learn both German and French. Back in Boston in 1910, he attended a private school and then in 1918 entered Harvard where he took courses in the fine arts.[3] In 1922 Austin joined the Harvard and Boston Museum of Fine Arts archaeological expedition to Egypt and the Sudan, and surprisingly this trip proved to be fortuitous for his knowledge of Italian Baroque art, since on the way to Egypt, his ship docked in Italy, and he took advantage of the week's stay to visit the large, groundbreaking exhibition *Pittura Italiana del Seicento e del Settecento*, then on view at the Palazzo Pitti in Florence.[4] This great exhibition included more than a thousand pictures, ranging from Caravaggio to Tiepolo, and in the Sala Verde devoted to Bernardo Strozzi and Domenico Fetti, he saw the brilliant Strozzi masterpiece *Saint Catherine of Alexandria* (fig. 1), which made a lasting impression on him.

Chick returned to Harvard in 1923 and now took courses with the director of the Fogg Art Museum, Edward Forbes, on the techniques of painting, and from the Fogg's associate director, Paul Sachs, on the museum profession. He even became Forbes' assistant for three years, and it was through Forbes that the President of the Wadsworth Atheneum's board, Charles A. Goodwin, who was searching for a new museum director, learned of Austin. Forbes wrote in his 1927 recommendation, "He is an attractive man with brains and good taste, and I think he has the making of a very good Museum man." Austin was hired and arrived in Hartford in October of 1927 (fig. 2).[5] The Wadsworth Atheneum is America's

oldest active public art museum. It was opened in 1844 by the civic-minded collector Daniel Wadsworth, the son of a successful businessman, who gave his family's land in the center of Hartford, and bequeathed his collection, which was primarily devoted to great examples of American painting.[6] He had few European works, and his single Italian 17th-century painting still in the museum is a *Ruth and Boaz* that at one time was attributed to Andrea Schiavone.[7]

The museum, despite the bequest of J. P. Morgan's great decorative arts collection, had become by 1927 a very sleepy place, and it was the 26-year-old Austin's task to bring it into a new era. He was the ideal fit for the position, as he based himself on the famed impresario Serge Diaghilev, whose Ballets Russes company he had so greatly admired in Europe every season since 1923.[8] In his role as museum impresario Austin organized many innovative exhibitions such as the first Surrealist show and the first major Picasso retrospective in America. In addition he introduced educational classes in art, and presented film, music, and dance, including in 1934 both the premiere of the Gertrude Stein/Virgil Thomson opera *Four Saints in Three Acts* and the first public performances of the American Ballet Company under the direction of George Balanchine.[9]

One of Austin's most clever accomplishments was to marry a cousin of the museum's president, Charles Goodwin. This allowed him to last as director perhaps longer than would otherwise have been possible. He and Helen Goodwin were wed in Paris in July of 1929, and on their honeymoon they found the model for their new Hartford home in the Villa Ferretti not far from Venice designed in 1596 by Vincenzo Scamozzi, a student and rival of Palladio. It had a long façade and was only 16 feet (5 m) deep; "all façade – just like me," as Chick Austin cheerfully claimed.[10]

But even more important than the buildings Austin built was the collection that, thanks to a timely bequest from the Sumner family, he could develop simultaneously in the two fields that most interested him – on the one hand old masters, especially the Baroque and Rococo, as well as 18th- and 19th-century works by artists such as Greuze, Goya, Corot, Gauguin, and Degas; and then on the other, showing his sympathy for contemporary art, he was in the forefront of acquiring Picasso, the Surrealists, such as Dalí, Miró, and Ernst, and Modernists such as Mondrian and Calder.[11]

After Austin assumed the reins of the directorship, he lost no time in searching for paintings to acquire. He turned to his old Harvard friend Kirk Askew who was

54

employed at the New York branch of the long-established London firm of Durlacher Brothers that specialized in Baroque works. And so in in late 1929 Askew sold to the Atheneum, as the gallery records document, its first three Baroque acquisitions under Austin.[12] These included Salvator Rosa's small *Night Scene with Figures* which cost $900. It had been in the Holford collection at Dorchester House in London and seemed at the time a quintessential work by Rosa. Unfortunately, more recently the very romanticism of the piece has led to it being downgraded to the status of a pastiche in the manner of the master.

Much more impressive were the other two Italian Baroque paintings purchased from Durlacher's. These were a pair of enormous Luca Giordanos, *The Abduction of Helen* and *The Abduction of Europa*, which were bought for $12,000. They looked very handsome in the galleries, and to show off these first exciting acquisitions, to promote the appreciation of the Baroque, and to draw the attention of a wider audience to the Atheneum, Austin decided in January 1930 to organize what would be America's first significant exhibition of Baroque paintings and drawings. This two-week presentation was *Italian Painting of the Sei- and Settecento*, and over sixty paintings and seventy drawings were assembled from all over America.[13] As he wrote to John Ringling whose museum was then under construction in Sarasota: "I want to do all I can to change the underestimation in which the Baroque has been held for so many years."[14] Sadly Ringling did not respond, but as the photographs of the installation reveal, he had better luck with other collectors, museums, and dealers. The Boston collector Frank Gair Macomber sent his large painting by Luca Giordano of *Saint Sebastian Tended by Saint Irene*, which he would then give to the Atheneum. Of the Caravaggio school works included, there was from the Fogg Art Museum a *Saint Sebastian* (now identified as by Caracciolo) and a version of *The Card Players*.[15] And from Wildenstein and Company came a small *Portrait of a Young Boy*. This was purchased for $6,500, but Austin fairly soon came to realize that it was not a Caravaggio and was probably a French work. Today it is one of several paintings given to an artist identified by Anthony Blunt as "The Master of the Open-Mouthed Boys."[16] Thus Austin would continue his hunt for an authentic Caravaggio. In the meanwhile he turned his attention to other acquisitions and projects.

For January of 1931 he organized the extensive exhibition *Landscape Paintings* and for this he secured from Durlacher's Louis Le Nain's *Peasants in a Landscape* – one of the first of this school of French art to enter an American collection. One of the most spectacular purchases was certainly that of 1931 when he arranged to buy for $17,000 from the Venetian dealer Italico Brass, Strozzi's *Saint Catherine of Alexandria* (fig. 1), the very same great work which he had seen in the Florence exhibition of 1922. Also in 1931 he acquired from Durlacher's a tiny but monogramed Caracciolo of the *Annunciation*

for $3,000. In the summer of that year Austin went to Germany and visited the Munich gallery of Julius Böhler, and as a result, he was offered for $4,200 the small version of Bernardo Bellotto's *View of Pirna*. Likewise that year from Adolph Loewi of Venice came for $5,000 the delightful Pietro Longhi *The Temptation*; and another Venetian work, Giovanni Domenico Tiepolo's *Last Supper* of the late 1750s from the Rothschild collection, was supplied by Durlacher's for $29,000. From the same dealer in 1933 was a large, and this time authentic, Salvator Rosa, *Landscape with Tobias and the Angel*. It was from the collection of Lord Jersey at Osterley Park and cost $3,100. In 1935 Durlacher's was also the source for the sparkling Francesco Guardi *View of the Piazzetta* in Venice for £3,000.

The other chief dealer that Austin came to rely on at this time was Paul Byk of Arnold Seligmann, Rey, and Co., who established a warm, avuncular relationship with the director and his family.[17] First from Byk was the very great, if somewhat damaged, enormous *Crucifixion* by Nicolas Poussin painted in 1645 for Jacques-Auguste de Thou, a member of the Paris Parlement. It later belonged to Poussin's friend and colleague Jacques Stella. Byk sold it for a special price of $12,500. As Kirk Askew was to observe of Chick, "the really profound moved him as deeply as the really frivolous completely delighted him."[18] And so in that same year he also purchased from Seligmann, Rey, and Co. Giuseppe Maria Crespi's charming little *Self-Portrait of the Artist in His Studio* for $3,500. Also in 1936 from the same source came a Pompeo Batoni *Portrait of Sir Humphrey Morice* for $5,000. In May of 1936 Byk offered for only $500 a Francesco Solimena of scenes from the life of Saint Benedict related to the ceiling paintings of the Dominican Monastery of Monte Cassino (destroyed during the Second World War in the Allied bombardments of 1944).

In 1937, while it was still safe to go to Europe, Austin spent the summer traveling there, seeking Baroque pictures at bargain prices. And he had great success in Vienna, where from the dealer Fritz Mondschein of the Galerie Sanct Lucas he made several acquisitions. As a Guido Reni, he purchased a bust-length *Saint Sebastian* for $150. This has more reasonably been identified as by Carlo Dolci. And coincidentally at the same time Austin had actually acquired a recognized Dolci – *The Christ Child with Flowers* – for only $170. Also in 1937, Austin visited Knoedler Gallery in New York, and its director, Charles Henschel, made a "special price" of $3,500 for an unusual Florentine Alessandro Magnasco, *The Medici Hunting Party*.

Perhaps the most outstanding Baroque purchase of 1937 was the great Claude Lorrain *Saint George and the Dragon* which Durlacher's had shipped from London to New York in September 1936 and offered to several museums. Although separated from its pendant in the National Gallery, London, it had a splendid provenance and was recorded in the *Liber Veritatis*. It was acquired for just over $17,000, and immediately proclaimed "a masterpiece" by the *New York Times*.[19] Also that year Byk supplied a large Murillo of *Saint Francis Xavier* for $8,000 and the delightful Charles Joseph Flipart *Portrait of the Castrato Scalzi*, in which Chick wrote was "concentrated the whole spirit of the Rococo."[20] From the Galerie Sanct Lucas in Vienna came the Monsù Desiderio or de Nomé *Belshazzar's Feast* for $1,125.

Activity continued the next year when in January and February of 1938, Austin presented *The Painters of Still Life*, one of his characteristic exhibitions, notable for the mixing of old and modern paintings. In preparation for this, he had in 1937 acquired from two quite disparate sources still lifes of musical instruments, which he attributed to Evaristo Baschenis. One came from the Dutch dealer Pieter de Boer for $400; and the other from Julien Levy, Austin's ally in promoting the Surrealists. Even more obviously reflecting his taste for Surrealism was Chick's purchase from a Parisian dealer in 1939 of a pair of Arcimboldo-school "Seasons" representing *Spring* and *Summer*. They cost only $1,400. Another rather different sort of still life with genre elements came that same year from Durlacher's and was the large *Fruit Stall* in the style of Vincenzo Campi. Perhaps the most important works Austin purchased for his still-life exhibition were the *Still Life with Pigeons* by the Spanish master Luis Meléndez from the Dutch dealer D. A. Hoogendijk for only $950, and the Balthasar van der Ast *Still Life with Shells* from Pieter de Boer.[21] Jumping ahead, it was in 1941 that an even more significant Caravaggesque still life appeared at the New York gallery of David Koetser. This was then attributed by Wilhelm Suida to the Milanese painter Fede Galizia. The director was fascinated by it and was able to purchase it for only $2,500. It has been most recently published as by Prospero Orsi, but the Atheneum wisely prefers to keep the traditional name bestowed on it by Charles Sterling as "The Master of the Hartford Still Life."[22]

Returning to 1938, purchases of that year included, from Durlacher's, Rubens's *Return of the Holy Family*. At $35,000 it was one of the most expensive acquisitions, but unfortunately today it is regarded as mostly a shop work. Another northern picture was the exuberant *Carnival in the Piazza Colonna, Rome* by Jan Miel from the New York dealer J. B. Neuman. In 1939 several Venetian works were added to the collection. These included a rare portrait by Tiberio Tinelli for $1,250 from Fritz Mondschein. Also from Mondschein came the Franz Anton Maulbertsch oil study of *Saint John of Nepomuk* – one of the few works of the 18th-century German school in America. An unusual Canaletto of a *Landscape with Ruins* was acquired from Adolph Loewi's branch in New York for $1,600 and a large Carlevarijs, now sometimes ascribed to Richter, of *The Feast of Santa Maria della Salute* from Wildenstein for $3,000. Also in 1939 for the same amount, Askews of London supplied Juan de Valdés Leal's magnificent *Allegory of Vanity*.

There were also acquisitions of the French school. In 1939 a small Sébastien Bourdon genre painting on copper was purchased from Julius Weitzner for $450. Seligmann, Rey, and Co. provided in 1938 as a supposed Oudry a remarkable *Still Life with Books*, which was later discovered to be painted by François Foisse for the palace of the Grand Duke Stanislas in Lunéville. Also from the same dealer came several representatives of the Dutch school. There was a Honthorst shop piece, *The Supper at Emmaus*; and the gem-like Poelenburgh *Feast of the Gods* formerly in the collection of the Counts of Schönborn for only $1,500. Even more notably Byk in 1940 also produced Michael Sweerts' *Boy with a Hat* (fig. 3) for $3,000. Austin immediately recognized this brilliant work as "reminiscent of Vermeer"[23] and the very next year purchased from Koetser a second Sweerts – *The Burial of the Dead*. In addition in 1940, satisfying Austin's taste for the theatrical, he acquired from Loewi in New York a set of five canvases of scenes from *The Carnival in Venice* by the German painter Johann Joseph Scheubel, which he installed as decorative panels in the museum's theater lobby.

The final flowering of Austin's Atheneum tenure came in the years 1943 and 1944. With regard to the Baroque, this saw the acquisition from Seligmann, Rey, and Co. in April 1943 of a supposed Guercino *Saint Sebastian with Armor* from the Earl of Caledon's collection for $5,500, but unfortunately it is now considered a school piece. Paul Byk was able to atone for this by producing one last great Baroque treasure for Chick, inviting him in 1939 to see "a great surprise… something very exciting and absolutely in your line" – which turned out to be Caravaggio's remarkable *Saint Francis of Assisi in Ecstasy* (fig. 4).[24] Austin was so taken with the work that he made it the *raison d'être* of a hastily organized but most original exhibition: *Night Scenes*, which was a typically wide-ranging Austin show with everything from Monsù Desiderio to Albert Pinkham Ryder.[25] Among the candlelight scenes was a *Saint Francis* from the collection of Vitale Bloch of Paris attributed to Georges de La Tour. It was purchased the next year through Durlacher's for $4,800. But the Caravaggio *Saint Francis* was priced more dearly at $17,000, and Chick was having problems with his trustees, so the negotiations dragged on. This did not totally stop other purchases from his favorite dealers. In 1942 from Arnold Seligmann, Rey, and Co., there was the Hendrick Terbrugghen *King David Harping*, a variant of one in Warsaw. And from Durlacher's for $2,800 was a characteristic, if somewhat damaged, example by the Neapolitan painter Bernardo Cavallino. This *Flight into Egypt* was from the collection of Kenneth Clark. Austin finally convinced the head of the acquisitions committee to acquire the Caravaggio, which, as he had written, displayed "a miraculous chiaroscuro of the plastic forms."[26] This was the first authentic work by the master to enter an American collection, and in June 1943 it became the centerpiece of an exhibition of forty works entitled *Caravaggio and the Seventeenth Century* with all Chick's acquisitions and seven other paintings lent from New York galleries.[27]

Austin, clearly under pressure, first took a leave of absence and then resigned the directorship of the Atheneum in January 1945. He spent time in Hollywood where his friends included Bette Davis, and he had hopes of breaking into the film business.[28] But Austin's absence from Hartford did not completely end his influence on acquisitions at the Atheneum. While he was in Los Angeles, it was discovered, much to the consternation of the trustees, that thirty paintings, which over the years Austin had requested be sent to the museum for possible purchase, had never been shown to them and were still in storage. In November of 1943, they therefore requested that he choose the ones he favored for purchase, so that all the others could be returned.[29] Of those that thus remained in Hartford were a supposed Rubens-Snyders collaboration, *The Market Stall* from Seligmann, Rey, and Co., and a Piazzetta *Boy with Pear* from Adolph Loewi, who had set up a branch in Los Angeles, for $2,600. But the most impressive Baroque painting was one lent to the 1943 Caravaggio exhibition, a *Daedalus and Icarus*, from Seligmann, Rey, and Co. attributed by Hermann Voss to Bernardo Cavallino. This was now purchased by the Atheneum for $5,000. It is a very striking, large Caravaggesque work, which in 1966 Roberto Longhi correctly identified as by the rare Pisan painter Orazio Riminaldi.

It was once again the fortuitous intercession of Edward Forbes that provided the entrée of Chick Austin into his next and final museum job. Asked by the governor of Florida for a recommendation of a director for the John and Mable Ringling Museum in Sarasota, for which the state had finally won title in 1946, Forbes proposed Austin as the "man whom I thought the best available one in the United States for that particular position."[30] Immediately offered the position, Austin accepted with the stipulation that he would be in Sarasota for only seven months of the year, so that he could pursue his theatrical interests in the remaining time. The Ringling Museum was in fact the most appropriate of all American institutions at which he could have chosen to work. The self-educated circus magnate, John Ringling, had died in 1936, and although he left his collection and museum to the city of Sarasota and the state of Florida, it took ten years for the state to finally take possession and then hire a director. Ringling, with the assistance of the German dealer Julius Böhler, had formed a remarkable collection, especially prized for the works of Rubens by whom there were four of the enormous cartoons for the *Eucharist* series. In addition the collection boasted many Baroque paintings of the Italian, Dutch, and French schools by artists such as Hals, de Heem, Vouet, Poussin, Carracci, Guercino, Rosa, Liss, Dolci, da Cortona, and Sassoferrato.[31]

Austin began as director in October 1946 and found things were in a terrible state. He essentially had to resurrect the collection and home left by Ringling, and he cleverly added to the attractions of the place by creating the Circus Museum and purchasing from his old friend, the dealer Adolph Loewi, the 18th-century theater from the castle at Asolo for only $8,000.[32] About half of the museum was opened by the end of 1946 and further galleries were completed by 1948 with the pictures restored and installed, so that Austin could proudly show off his accomplishment to the wider world.[33] It was also only at the end of that year that funds became available for acquisitions, and Chick, after a five-year hiatus, could shop again in the art market. As his very first Ringling acquisition he purchased the highly appropriate 1635 Rubens *Portrait of the Archduke Ferdinand* (fig. 5). Once in the collection of his wife's cousin, J. Pierpont Morgan, it cost $30,000 from Knoedler Gallery.

His second purchase was of an artist who had long fascinated him – known then as Monsù Desiderio but now called François de Nomé – this was his *Martyrdom of Saint Januarius* and came in 1950 from Koetser in New York for $2,800. Austin even acquired a painting by this artist for himself and proceeded in 1950 to organize the first exhibition of this mysterious master.[34] Later that year he made two more important acquisitions – Strozzi's *Act of Mercy* from the restituted Oscar Bondy collection sold by Julius Weitzner, and to enhance the Asolo theater a series of fifteen decorative paintings on the disguises of Harlequin by the Florentine artist Giovanni Domenico Ferretti, which had once belonged to the great director Max Reinhardt.

At the end of 1950 from Loewi, Austin purchased for $10,500 a large allegorical transferred grisaille fresco by Giovanni Battista or Giovanni Domenico Tiepolo. Also fulfilling his love of the Venetian Rococo was his 1953 acquisition of a pair of Luca Carlevarijs Venetian *vedute* from the Dutch dealer D. A. Hoogendijk for $2,800. Like the one he had purchased for Hartford, these, too, have sometimes been attributed to Richter. From the same dealer in 1951 Austin bought one of his favorite type of paintings – an impressive still life by Willem van Aelst of *Dead Game*, and for only $580. In 1951 he also purchased a history subject very rich in still-life elements – Claude Vignon's *Banquet of Anthony and Cleopatra* acquired from Vitale Bloch of Paris for, as Chick described it, "the very reasonable price of $1,200."[35] It was featured in 1956 in one of his last exhibitions – on a favorite topic, as he was, in addition to everything else, an inspired chef – *The Art of Eating*.[36] Other traditional still lifes added to the collection for this exhibition were a signed *Still Life with Oysters* by Jacob van Es that had come from Frederick Mont (the name Fritz Mondschein worked under in New York) for $1,800; and, acquired as a Juan van der Hamen, but now given to Cristoforo Munari a *Still Life with Plates* from

57

Durlacher's for $1,700. Austin himself donated to the museum in 1951 a splendid *Still Life with Musical Instruments* by Bartolomeo Bettera.

In 1952 Austin went to Paris for the French premiere of the Virgil Thomson/Gertrude Stein *Four Saints in Three Acts*, and afterwards with his family he toured around France in the most recent of his splendid motor cars, stopping in Provence to visit a friend in Fayence. He was so taken by the location that in 1954 he purchased his own medieval hill town house there, devoting his final years to improving and embellishing this place where he hoped to retire.[37] This interest in France was reflected in his exhibition *The Artful Rococo*,[38] and his final group of acquisitions. One of the most beautiful was a rare work shown in that exhibition by the 18th-century French artist who worked in Germany, Pierre Goudreaux, *The Lover's Pilgrimage*, which came from Loewi for $5,800. To his own collection he added *The Judgment of Solomon* (fig. 6) once called Sébastien Bourdon but subsequently (after it was sold by his estate

to the museum) identified by both Blunt and Rosenberg as by Jean Tassel.[39] In 1955 his devoted friends at Durlacher's provided the splendidly mysterious *Scene from the Commedia dell'arte*, a Franco-Flemish or Fontainebleau school piece, which Rosenberg has long insisted is by Jacques Bellange.[40] And finally in 1956 one of Austin's very last acquisitions was a Poussin – at 16 inches (40.6 cm) high, as small as the Hartford painting had been large. But like that monumental work this one, *The Ecstasy of Saint Paul*, had also been painted for a distinguished patron – the collector and connoisseur Paul Fréart de Chantelou.

Chick Austin became ill and entered a Hartford hospital where he unexpectedly died on March 29, 1957.[41] His legacy as one of America's greatest connoisseurs and trend setters was almost immediately acknowledged, and his successors at the two museums where he had served as director rightly dubbed him "a genius."[42] For any lover of the Baroque, a visit to his two museums in Hartford and Sarasota remains absolutely essential.

1– The best source of information on Chick Austin is the excellent biography by Eugene R. Gaddis, *Magician of the Modern: Chick Austin and the Transformation of the Arts in America*, New York, 2000; a collection of tributary articles on Austin was published in *A. Everett Austin, Jr.: A Director's Taste and Achievement*, Hartford and Sarasota, 1958; other appreciations of Austin are Denys Sutton, "Fantasy and Flair," in *Apollo*, December 1968, pp. 407-13; Mina Gregori in *Novita sul Caravaggio*, Bergamo, 1975, pp. 28-29; Eugene R. Gaddis, ed., *Avery Memorial – Wadsworth Atheneum: The First Modern Museum*, Hartford, 1984; Nicholas Hall, "Old Masters in a New World" in Nicolas Hall, ed., *Colnaghi in America*, New York, 1992, pp. 29-31; and see also the present author's essays in *Botticelli to Tiepolo*, Tulsa, 1994, pp. 48-50 and in *Renaissance to Rococo: Masterpieces from the Collection of the Wadsworth Atheneum*, Hartford, 2004, pp. 14-30.

2– See Pierre Rosenberg in *France in the Golden Age: Seventeenth-Century French Paintings in American Collections*, Metropolitan Museum of Art, New York, 1982, p. 323.

3– Gaddis, *Magician of the Modern*, pp. 7-8, 12-14, 16-19 and 23-31.

4– *Ibid.*, p. 32; Comune di Firenze, *Mostra della pittura italiana del Seicento e del Settecento*, Palazzo Pitti, Florence, 1922.

5– Gaddis, *Magician of the Modern*, p. 69.

6– For the history of the Wadsworth Atheneum, see the exhibition catalogue *Daniel Wadsworth: Patron of the Arts*, Hartford, 1981; and Eugene R. Gaddis in *"The Spirit of Genius," Art at the Wadsworth Atheneum*, Hartford, 1992, pp. 11-24.

7– Acq. no. 1848.21; For all the Italian and Spanish paintings in the Wadsworth Atheneum collection, see Jean Cadogan, *Wadsworth Atheneum Paintings, II, Italy and Spain,* Hartford, 1991.

8– Gaddis, *Magician of the Modern*, pp. 39, 222-5.

9– Gaddis, *Magician of the Modern* pp. 198-223, 244-8, 338-9, 342-369. On Austin and the ballet, see Eric Zafran, ed., *Ballets Russes to Balanchine: Dance at the Wadsworth Atheneum,* Hartford, 2004.

10– Gaddis, *Magician of the Modern*, pp. 105-24.

11– See Eric Zafran, "Springtime in the Museum: Modern Art Comes to Hartford," in *Surrealism and Modernism from the Collection of the Wadsworth Atheneum*, Hartford, 2003, pp. 61-129.

12– The confirmation of the purchase is noted in correspondence from Askew in New York City to the firm's London headquarters of December 20 and 23, 1926, in the Durlacher files at the Getty Research Center.

13– *Italian Paintings of the Sei- and Settecento*, Wadsworth Atheneum, Hartford, January 22 – February 9, 1930.

14– Letter of November 19, 1929, from Austin to Ringling in the Atheneum Archives.

15– Edgar Peters Bowron, *European Painting before 1900 in the Fogg Art Museum*, Cambridge, 1990, pp. 101, 107, 205, 343, nos. 212 and 718.

16– See Eric M. Zafran, *Masters of French Painting, 1290-1920, At The Wadsworth Atheneum,* Hartford, 2012, pp. 34-5, no. 5; and also Rosenberg in *France in the Golden Age*, pp. 2, 364; and Benedict Nicolson, *Caravaggism in Europe*, Turin, 1989, vol. I, p. 87, no. 780.

17– See Gaddis, *Magician of the Modern*, p. 313.

18– Kirk Askew, "The Old Master Acquisitions of A. Everett Austin Jr." in *A. Everett Austin, Jr.*, p. 24.

19– *New York Times*, January 18, 1937, p. 18.

20– Austin's description is in the Wadsworth Atheneum registrar's file.

21– For the Northern Baroque paintings in the Wadsworth Atheneum, see Egbert Haverkamp-Begemann, ed., *Wadsworth Atheneum Paintings: The Netherlands and the German-Speaking Countries, Fifteen-Nineteenth Centuries*, Hartford, 1978, p. 114, no. 7.

22– See Edgar Peters Bowron, in *Renaissance to Rococo*, p. 68, no. 15.

23– Text in Wadsworth Atheneum's registrar's file.

24– See Zafran, *Renaissance to Rococo*, p. 25.

25– *Night Scenes*, Wadsworth Atheneum, Hartford, February 15 – March 10, 1940.

26– In *Night Scenes*, The Wadsworth Atheneum, Hartford, 1940, no. 5.

27– The exhibition ran from June 26, 1943, to January 16, 1944. See Gaddis, *Magician of the Modern*, p. 362.

28– *Ibid.*, pp. 363-8.

29– *Ibid.*, 364-5.

30– Gaddis, *Magician of the Modern*, pp. 372-3; and Edward W. Forbes in *A. Everett Austin, Jr.*, p. 18.

31– See by the present author the essays "John and Lulu" and "A Collection of Baroque Masterpieces", in *John Ringling: Legacy of the Circus King*, Sarasota, 1997; and Wilhelm Suida, *A Catalogue of Paintings in the John and Mable Ringling Museum*, Sarasota, 1949; Denys Sutton, *Masterworks from The John and Mable Ringling Museum of Art*, Wildenstein Galleries, New York, 1981; Anthony F. Janson, *Great Paintings from the John and Mable Ringling Museum of Art*, Sarasota, 1993; and Stephen D. Borys, ed., *The John and Mable Ringling Museum of Art: Guide to the Collections*, Sarasota, 2008.

32– See Eugene R. Gaddis, "Priceless and Incomparable: Chick Austin and The Asolo Theater," in *Encore: A New Life for the Historic Asolo Theater*, Sarasota, 2006, pp. 17-34.

33– "Ringling's Sarasota Art Museum," *Look*, October 26, 1948, pp. 89-91.

34– A. Everett Austin, Jr., *The Fantastic Visions of Monsù Desiderio*, Sarasota, 1950.

35– Report of the Director, Ringling Museum, Sarasota, December 15, 1950.

36– *The Art of Eating: A Loan Exhibition*, The John and Mable Ringling Museum of Art, Sarasota, January 29 – March 7, 1956.

37– Gaddis, *Magician of the Modern*, pp. 403-8.

38– *Ibid.*, p. 406.

39– See Rosenberg, *France in the Golden Age*, pp. 323-4, no. 104. In a letter of August 10, 1959, Peter Murray writing to Creighton Gilbert reports that "*Anthony Blunt suggests the* Judgment of Solomon *attributed to Bourdon is in fact by Tassel.*"

40– In letters of November 29, 1973, and May 24, 1978, from Pierre Rosenberg to the Ringling registrar, Elisabeth Telford; and in Rosenberg, *France in the Golden Age*, no. 5.

41– Gaddis, *Magician of the Modern*, pp. 420-3.

42– Charles C. Cunningham and Kenneth Donahue, "Preface" in *A. Everett Austin, Jr.*, p. 8.

La création tardive d'une collection de peintures baroques au Metropolitan Museum of Art

Keith Christiansen

Chairman, Department of European Paintings, The Metropolitan Museum of Art

Lorsque l'on m'a proposé d'organiser, en collaboration avec Anna Cavina, une série de conférences pour Paris Tableau, j'ai immédiatement pensé à ce thème : la création et l'enrichissement des collections de peinture baroque dans les musées américains. La raison en est simple : c'est le domaine dans lequel le Metropolitan Museum of Art – où je travaille depuis 38 ans – a déployé le plus d'efforts pour remédier à l'état d'abandon dans lequel notre institution avait laissé la peinture baroque durant ses cent premières années d'existence (le Metropolitan a été fondé en 1870 par un groupe de personnes privées qui pensaient que leur ville, si elle voulait un jour accéder au rang de capitale mondiale de la culture, se devait de posséder un grand musée des beaux-arts : contrairement à la plupart des musées européens, c'est une institution privée et financièrement autonome, même si la ville contribue à son budget de fonctionnement). J'y ai été nommé comme conservateur par Sir John Pope-Hennessy, alors chef du département de la peinture européenne, en raison de mes travaux sur la peinture italienne. Mes connaissances en matière de peinture baroque du XVIIe siècle étaient, et restent à bien des égards, limitées. Or, à l'époque, mes deux prédécesseurs – John Pope-Hennessy et Everett Fahy – étaient eux aussi des spécialistes de la peinture du début de la Renaissance. La collection des peintures italiennes des XVIIe et XVIIIe siècles du Metropolitan Museum présente ainsi la particularité d'avoir été conçue par des conservateurs qui n'étaient pas spécialistes du domaine. En Europe, ce serait inconcevable. Dans les musées américains, c'est souvent la norme.

Mais d'abord quelques mots sur les collections du Metropolitan Museum. L'immense majorité des peintures – jusqu'à 80 % peut-être – y sont entrées sous forme de dons ou de legs. Ces collections reflètent donc, pour l'essentiel, le goût de collectionneurs new-yorkais, un peu comme celles du Prado et du Kunsthistorisches Museum représentent le goût des Habsbourg à Madrid et à Vienne ou celle de l'Alte Pinakothek à Munich reflète le goût de la maison de Wittelsbach. La mission des conservateurs consiste à construire sur la base de ces dons et de ces legs de façon à ce que la collection en vienne à représenter l'histoire de la peinture européenne et pas simplement les idiosyncrasies d'un goût attaché à un temps et à un lieu. Tâche particulièrement redoutable s'agissant de la peinture baroque, car les collectionneurs new-yorkais – ceux d'hier mais aussi d'aujourd'hui – manifestent peu d'inclination pour l'art baroque. Il suffit de penser à la Frick Collection pour mesurer le dédain dans lequel l'un des plus éminents collectionneurs de son temps tenait, au début du XXe siècle, la peinture italienne et française du XVIIe. Les principaux donateurs du Metropolitan partageaient les mêmes préjugés que Frick – qu'il s'agisse du propriétaire de grands magasins Benjamin Altman, dont la superbe collection fit l'objet d'un legs en 1914, ou du banquier Jules Bache, dont la collection entra dans le musée en 1949. Tous deux possédaient des peintures exceptionnelles de la Renaissance, de magnifiques toiles flamandes et quelques œuvres sublimes de Velázquez et de Goya. Mais ni l'un ni l'autre n'avaient de peinture baroque italienne – ni même d'ailleurs du XVIIe siècle français. La tâche

Fig. 1 – Andrea Sacchi

Marc'Antonio Pasqualini couronné par Apollon, huile sur toile, 243,8 x 194,3 cm.
Achat, don d'Enid A. Haupt et fonds Gwynne Andrews, 1981 (1981.317)

Marc'Antonio Pasqualini Crowned by Apollo

du conservateur aurait pu sembler évidente : combler ces lacunes. Or, et l'on peut encore s'en étonner, entre 1930 et 1944, au moment même où A. Everett Austin (dit aussi Chick Austin) édifiait une extraordinaire collection au Wadsworth Atheneum de Hartford – à tout juste deux heures de route de la ville de New York – les conservateurs du Met laissèrent pratiquement ce champ en jachère.

Il est facile d'oublier à quel point la peinture baroque était devenue impopulaire aux États-Unis, du fait en partie de l'influence exercée par les écrits de John Ruskin et de Bernard Berenson. De tous les tableaux du XVIIe siècle italien qui figurent dans le catalogue des peintures italiennes et espagnoles du Met établi dans les années quarante, seul le bel autoportrait de Salvator Rosa, légué au musée en 1921, est encore exposé de façon permanente. La seule acquisition d'importance effectuée durant ces années où les historiens d'art européens posaient les fondements de notre compréhension de cette période fut celle d'un grand tableau de José de Ribera, *La Sainte Famille*, acheté en 1934 au comte de Harewood. Toutefois, c'est là une exception qui prouve la règle : admirer la peinture

espagnole faisait, en effet, partie de l'esthétique du modernisme – et Ribera était considéré comme un peintre espagnol et non comme un artiste appartenant à l'école napolitaine.

On a aujourd'hui du mal à imaginer que, jusque dans les années soixante-dix, on pouvait sans difficulté exposer l'ensemble des peintures baroques italiennes du Met dans une seule galerie de taille moyenne – et encore fallait-il en emprunter quelques autres à des collectionneurs privés. Bien des tableaux qui passent désormais pour des piliers de la collection en étaient absents. Ce qu'illustre peut-être on ne peut mieux cette photographie du long mur de la plus grande des trois galeries où est accrochée la peinture baroque aujourd'hui (fig. 2). Seuls six des vingt-et-un tableaux actuellement visibles appartenaient déjà à la collection en 1970. Dans la galerie suivante (fig. 3), où sont accrochées des peintures de cabinet, de plus petit format, les chiffres sont encore plus surprenants : en effet, les 15 œuvres exposées ont toutes été acquises après 1970. Ces vues donnent, je pense, une idée de la quantité, mais aussi de la qualité des acquisitions réalisées au cours des 45 dernières années : elles témoignent de la volonté de trois chefs du

Fig. 2 – La grande galerie de la peinture italienne du XVIIe siècle au Metropolitan Museum of Art
The principal gallery of 17th-century Italian painting at The Metropolitan Museum of Art

département de remédier au profond désintérêt dont souffrait la peinture baroque et de la hisser au rang de nos collections du XVIIᵉ siècle flamand et du XIXᵉ siècle français, toutes deux célèbres dans le monde entier.

D'abord en tant que conservateur et, depuis 2009, en tant que responsable du département, je me suis attaché à élargir cette ambition au XVIIIᵉ siècle italien, ainsi qu'au XVIIᵉ français et espagnol. C'est ainsi qu'un bon nombre de peintures françaises du XVIIᵉ siècle est venu enrichir nos collections depuis 1975. Mon collègue Stephan Wolohojian vous entretiendra de la plus importante des acquisitions récentes dans ce domaine, à savoir le monumental *Portrait d'Everhard Jabach et de sa famille*, peint par Charles Le Brun et acheté pour nous il y a tout juste un an par Mrs. Charles Wrightsman, œuvre qui a entièrement altéré la présentation du Grand Siècle dans notre musée.

Comme j'y ai déjà fait allusion, le manque d'intérêt pour la peinture baroque était principalement dû à l'influence persistante de Ruskin et de Berenson. Celle de Berenson, en particulier, est cruciale pour comprendre le goût qui prévalait

alors. Selon lui, l'art baroque – représenté soit par l'« éclectisme » des Carrache, soit par le « réalisme » du caravagisme – avait sonné l'heure du déclin. Comme il le disait d'une phrase lapidaire dans son essai de 1907 sur la peinture de l'Italie du Nord : « *Bien qu'elle ait elle donné naissance à des milliers de peintres ingénieux et même fort plaisants au cours des trois derniers siècles et demi, elle* [l'Italie] *n'a pas produit un seul grand artiste.* »[1] Le grand critique d'art britannique Roger Fry, qui travaillait comme conseiller pour le Metropolitan, se montrait encore plus cinglant. Dans un article écrit en 1922 pour le *Burlington Magazine*, il accusait les artistes italiens du XVIIᵉ siècle d'avoir « *inventé la vulgarité et, plus spécialement, l'originalité vulgaire en art.* »[2]

Ces jugements esthétiques accablants eurent un énorme impact non seulement sur les collectionneurs, mais aussi sur les conservateurs et les directeurs de musées. John Walker, qui exerça les fonctions de conservateur en chef à la National Gallery à partir de 1939, puis celle de directeur de 1956 à 1969, fit ses études à Harvard University et y suivit à peu près le même parcours que Chick Austin. Il connaissait Philip Johnson et Lincoln Kirstein, et fut l'un des cofondateurs de la Society

Fig. 3 – Les galeries du XVIIᵉ siècle italien au Metropolitan Museum of Art
The 17th-century Italian galleries at the Metropolitan Museum

for Contemporary Art. Puis, il passa six ans à la Villa I Tatti de Berenson, près de Florence, tant et si bien qu'alors que Chick Austin développait autant de passion pour le théâtre et la musique contemporaine que pour l'art baroque et le surréalisme, les centres d'intérêts de John Walker restèrent fermement ancrés dans la tradition.

Imaginez un instant : lorsqu'il arriva sur le marché en 1951, le grand *Saint Jean-Baptiste* exécuté vers 1604 par le Caravage pour le banquier génois Ottavio Costa fut refusé aussi bien par Ted Rousseau, le très cultivé chef du Département des peintures du Metropolitan Museum que par Johnnie Walker à la National Gallery. L'année suivante, cependant, le Metropolitan Museum acheta un Caravage, *Les Musiciens*, peint vers 1595 pour le cardinal Francesco Maria del Monte, premier protecteur et mécène de l'artiste. Récemment découvert, le tableau avait été recommandé au musée par Denis Mahon, qui, on le sait, joua un rôle déterminant dans la réévaluation critique de la peinture italienne du XVIIᵉ siècle en Angleterre et aux États-Unis, mais qui aussi, plus tard, aida efficacement le Metropolitan Museum à enrichir ses collections. Toutefois, quelqu'un hésiterait-il aujourd'hui, même une seconde, à considérer le *Saint Jean-Baptiste*, finalement acquis par le Nelson-Atkins Museum à Kansas City, comme une œuvre de plus grande importance ? Certes, historiquement, *Les Musiciens* est aussi un tableau important, parce qu'il appartient aux œuvres de jeunesse de l'artiste et qu'on y voit l'application d'un style réaliste à un sujet allégorique. Néanmoins, même sans tenir compte de son mauvais état, il lui manque précisément ce que nous apprécions tant aujourd'hui chez le Caravage : cette expression sombre et puissante des sentiments, la violence des contrastes entre ombres et lumière, la représentation agressivement réaliste du modèle vivant.

L'achat des *Musiciens* (fig. 4) en 1952 fut certainement inspiré par la grande exposition monographique sur le Caravage organisée par Roberto Longhi au Palazzo Reale l'année précédente à Milan. Mais il n'annonça pas vraiment un changement d'orientation du musée, lequel au cours des deux décennies suivantes ne montra guère d'empressement à constituer une collection baroque digne de ce nom. Et ce, bien que les années soixante aient effectivement marqué une rupture. Prenons, par exemple, le cas de Guido Reni. Là encore, c'est une exposition mémorable organisée à Bologne en 1954 qui fit connaître ce peintre à un large public et cristallisa l'intérêt des collectionneurs pour son œuvre, jusque-là méconnue dans le monde anglo-saxon. En 1957, la National Gallery à Londres acheta aux princes de Liechtenstein *L'Adoration des bergers*. Cette grande toile tardive fut la première de l'artiste à entrer dans la collection après 1847 ; derrière cet achat, on pouvait reconnaître les exhortations de Denis Mahon. En 1959, le Metropolitan Museum suivit le mouvement avec l'acquisition d'un retable de Reni, *L'Immaculée Conception*. Rétrospectivement, on peut dire que cette œuvre, comme celle au sujet profane du Caravage, réunissait tous les critères susceptibles de convaincre une institution foncièrement conservatrice. Elle provenait de la prestigieuse collection Ellesmere de Bridgewater House, à Londres ; elle avait été commandée en 1627 par l'ambassadeur espagnol à Rome pour l'Infante d'Espagne ; enfin, elle avait été installée dans la cathédrale de Séville, où elle avait servi de source d'inspiration à nombre de peintres espagnols, dont Murillo. Pourtant, son acquisition ne souleva pas un réel enthousiasme. En 1969, le Detroit Institute of Arts acheta le très bel *Ange apparaissant à saint Jérôme*, et la même année, le Cleveland Museum of Art faisait l'acquisition de ce tableau tardif, inachevé et véritablement extraordinaire qu'est *L'Adoration des mages* (si on me les proposait, des deux, c'est celui-ci que je choisirais, sans la moindre hésitation). C'est également en 1969 que les futurs mécènes du Metropolitan Museum, Charles et Jayne Wrightsman, encouragés par le jeune Everett Fahy, firent l'acquisition de cette toile exquise intitulée *La Charité*. Fahy fut le premier conservateur du Metropolitan à véritablement s'intéresser à la peinture baroque.

Ce n'est pas seulement avec l'acquisition d'œuvres de Guido Reni que le vent du changement se mit à souffler. En 1960, le Toledo Museum of Art dans l'Ohio ajouta à sa collection le merveilleux *Saint Pierre Damien offrant la règle de l'ordre*

Fig. 4 – Le Caravage

Les Musiciens, vers 1595, huile sur toile, 92,1 x 118,4 cm, New York, The Metropolitan Museum of Art (52.81)

The Musicians

camaldule à la Vierge de Pierre de Cortone – une commande du cardinal Francesco Barberini – et, l'année suivante, *Le Festin d'Hérode* si subtilement mis en scène par Mattia Preti. En 1968, le Detroit Institute of Arts fit l'acquisition d'un beau tableau d'Orazio Gentileschi, *Jeune femme jouant du violon (sainte Cécile)*, en 1973, d'un Caravage, *Marthe et Marie-Madeleine*, et en 1979, de *La Diseuse de bonne aventure* de Bartolomeo Manfredi. Au cours des mêmes années, le Metropolitan Museum acheta l'imposante toile de Salvator Rosa, *Le Rêve d'Énée* – c'était en 1965 – et en 1969, il reçut en don *Esther devant Assuérus* d'Artemisia Gentileschi. Puis, en 1971, il obtint une œuvre d'un grand retentissement historique : *Le Couronnement de la Vierge* d'Annibal Carrache. Peinte pour le Cardinal Pietro Aldobrandini, cette célèbre toile était en la possession de Denis Mahon depuis 1939. Dans la plupart des ouvrages d'histoire de l'art, le Caravage et Annibal Carrache sont présentés comme les deux pôles de la peinture baroque, si bien que l'acquisition – à vingt ans d'intervalle – des *Musiciens* et du *Couronnement de la Vierge* pourrait laisser croire que la collection du Metropolitan a été longuement et minutieusement préméditée. Ce n'est pas vraiment le cas, mais cela nous rappelle que la constitution d'une collection muséale – outre les dons et les legs – dépend de trois facteurs. D'une part, le désir de savoir, pour chaque domaine précis, quelles seraient les œuvres indispensables si l'on veut créer une collection qui reflète, de façon adéquate, un moment ou un mouvement historique. D'autre part, la disponibilité des œuvres du type et de la qualité requise. Enfin, les moyens financiers permettant d'acquérir ces œuvres, que ce soit grâce à des fonds propres ou à la promesse d'un mécène. Des choix doivent être faits et ces choix reflètent inévitablement les goûts, les connaissances et les idiosyncrasies des hommes et des femmes habilités à les faire.

Permettez que je vous fasse part d'un souvenir personnel. En 1981, je me suis rendu à l'atelier d'un restaurateur d'art pour voir une œuvre majeure de Valentin de Boulogne qui venait d'arriver sur le marché. Valentin est un artiste auquel je voue une profonde admiration depuis ma première visite au Louvre en 1967. Avec Ribera, il est pour moi le plus original des peintres caravagesques ; bien qu'il ait passé toute sa carrière à Rome, ses œuvres étaient extrêmement recherchées en France – la chambre du roi à Versailles n'en compte pas moins de cinq, dont l'impact sur la peinture française du XIXe siècle ne saurait être minimisé. Valentin n'était pas le seul peintre français du XVIIe siècle absent des collections du Metropolitan. Le musée ne possédait aucune œuvre de Simon Vouet, des frères Le Nain, d'Eustache Le Sueur ou encore de Charles Le Brun. Cela me semblait incompréhensible, aussi n'ai-je pas ménagé ma peine pour combler, au fil des années, chacune de ces lacunes – même si je suis encore à la recherche d'un Vouet. J'étais transporté d'enthousiasme devant ce Valentin, avec sa composition pleine de vivacité, son traitement dramatique de la lumière et le merveilleux rendu des sentiments. Comment se pouvait-il, me demandai-je, que notre institution ne se montre pas intéressée par ce tableau ? Le fait est que la proposition fut rejetée, car Pope-Hennessy avait jeté son dévolu sur une autre œuvre tout juste arrivée, elle aussi, sur le marché – et notre musée ne pouvait s'offrir les deux. Il s'agissait du portrait de *Marc'Antonio Pasqualini couronné par Apollon* d'Andrea Sacchi (fig. 1) – une toile superbe dont Bellori avait livré une description détaillée lorsqu'elle était encore en possession du cardinal Giulio Rospigliosi. Depuis 1758, elle appartenait aux comtes Spencer. Je suis quasiment sûr qu'aujourd'hui, le goût aurait fait pencher la balance en faveur du Valentin, mais Pope-Hennessy, après avoir établi, vers la fin des années quarante, le catalogue des dessins du Dominiquin conservés dans les collections royales du Château de Windsor, avait développé une forte inclination pour le classicisme baroque. Dans les documents qu'il rédigea en vue de l'acquisition du Andrea Sacchi, son approbation pleine et entière mais sèche et passablement cérébrale révèle l'importance de ses recherches sur Le Dominiquin dans son choix. « *J'ai souvent eu l'occasion de voir ce tableau à Althorp et, au cours des trente dernières années, je n'ai jamais dévié du point de vue orthodoxe qui veut que ce soit l'une des plus belles toiles romaines du deuxième quart du XVIIe siècle conservées dans une collection privée.* » Pope-Hennessy avait l'art de placer ses partis pris hérités de Berenson, car ce tableau est, en effet, non seulement une œuvre majeure du classicisme romain, mais il offre aussi une perspective unique sur la vie à la cour du cardinal Barberini à Rome. En effet, Marc'Antonio Pasqualini était un célèbre chanteur d'opéra qui se produisait régulièrement à la cour ; il est représenté en costume bachique, ceint d'une peau de léopard. La figure d'Apollon reprend la même pose que celle du fameux Apollon du Belvédère, mais les études préparatoires pour ce personnage ont été exécutées d'après un modèle vivant – probablement celui dont on sait que Le Dominiquin admirait tant la beauté physique. L'instrument de musique – une sorte de harpe à clavier – était sans doute un instrument expérimental appartenant au cardinal Barberini. Ce tableau est devenu l'un des points d'ancrage de notre collection. En 2008, j'ai finalement eu la possibilité de proposer l'acquisition d'une œuvre de Valentin – un joueur de luth seul qui avait appartenu au cardinal Mazarin.

Indiscutablement, la plus importante toile baroque acquise sous la direction de Pope-Hennessy fut *Samson capturé par les Philistins* du Guerchin. Là encore, c'est Denis Mahon – le grand spécialiste de cet artiste – qui, en janvier 1978, alerta Pope-Hennessy de la disponibilité de l'œuvre et qui en publia l'analyse après son acquisition. Elle était détenue par un parent éloigné de celui qui en avait été le commanditaire, le cardinal Jacopo Serra, légat du pape à Ferrare et admirateur du jeune Guerchin. Les tableaux apparentés conservés au Louvre, au Kunsthistorisches Museum à Vienne et à la Pinacoteca Nazionale à Bologne étaient rangés depuis toujours parmi les œuvres les plus novatrices et les plus passionnantes de l'artiste ; jusque-là, celle-ci n'était connue que grâce à une copie conservée au musée d'Angoulême. Au début du XXe siècle, l'œuvre avait été transportée à Beyrouth, qui, dans les années soixante-dix se trouva plongée dans une guerre civile. Craignant que la ville ne soit sérieusement bombardée, les propriétaires estimèrent que le moment était venu de la vendre. Personne n'aurait pu anticiper la réapparition de cette œuvre ni le fait qu'elle serait proposée au Metropolitan. Mais c'est ce qui se produisit et, une fois de plus, ce sont les Wrightsman – indéfectibles mécènes du département des peintures depuis quatre décennies – qui acceptèrent de l'acheter pour le musée.

Si le tableau de Sacchi nous transporte dans le monde du classicisme romain, celui du Guerchin constitue un jalon incontournable dans la création d'un style authentiquement baroque. Sous la direction de Pope-Hennessy, d'autres œuvres furent acquises – par exemple, *La Vierge à l'Enfant avec saint François et saint Dominique* de Giulio Cesare Procaccini et la *Lamentation du Christ* peinte par Scipione Pulzone pour l'église du Gesù à Rome. Tous ces choix avaient leur raison, mais c'est le rapprochement, entre, d'une part, *Les Musiciens* du Caravage et *Le Couronnement de la Vierge* d'Annibal Carrache, et, de l'autre, *Samson capturé par les Philistins* du Guerchin et *Marc'Antonio Pasqualini* de Sacchi qui a conféré sa spécificité à notre collection – spécificité fondée sur une sorte de dialectique de la peinture baroque.

Après le départ de Pope-Hennessy en 1987, ma tâche – d'abord comme conservateur des peintures italiennes, puis comme directeur du département – a consisté à construire sur ces bases. À n'en pas douter, les acquisitions réalisées depuis reflètent mes intérêts personnels, mais j'espère que ces intérêts se sont élargis au fil des ans et offrent une image relativement fidèle de la peinture baroque italienne. J'aimerais citer quelques exemples pour vous donner une idée de la diversité des œuvres qui sont entrées dans notre collection et de la logique qui a présidé à leur acquisition.

Aucun peintre dans l'Europe de la seconde moitié du XVIe siècle n'a joué un rôle aussi déterminant que Federico Barocci dans l'invention du style baroque ; j'étais donc ravi lorsque, l'occasion s'étant présentée, nous avons été en mesure d'acheter une splendide œuvre tardive de cet artiste – la seule, à ce jour, à figurer dans un musée américain. C'était en 2003. Malgré mes efforts pour retracer les circonstances qui ont entouré sa création, nous ne savons pratiquement rien des tout débuts de son histoire. (Étant donné sa date tardive et son sujet conçu comme une méditation sur Saint François d'Assise et les stigmates, j'ai avancé l'hypothèse qu'il s'agissait peut-être d'un don au prieur du couvent Saint François à Urbino, où Barocci s'était fait aménager une chapelle funéraire.)

Comme je l'ai déjà mentionné, en 1971, nous avions acquis une œuvre majeure représentative du style classique romain d'Annibal Carrache. Il nous manquait un tableau capable d'illustrer la contribution des Carrache à la révolution picturale qui s'était déroulée à Bologne dans les années 1580. C'est pourquoi, en 1994, je recommandai aux instances du musée de profiter de la présence sur le marché d'une rare scène de genre qui, à l'époque, était attribuée à Augustin Carrache, mais qui, après des recherches plus approfondies, se révéla être l'œuvre de son frère plus talentueux, Annibal. Et, en 2000, lorsque surgit dans une maison de vente, apparemment de nulle part mais en fait des mains d'une famille italienne d'Argentine, une œuvre d'une surprenante audace due à Ludovic Carrache, de nouveau j'engageai le musée à ne pas hésiter à surenchérir pour nous assurer de l'obtenir. Il apparut ensuite que cette *Lamentation* avait été commandée à Ludovic par son plus fervent mécène, le comte Alessandro Tanari. Nous sommes donc à présent en possession de deux toiles exécutées par les cousins Carrache qui ouvrirent la voie à l'épanouissement du naturalisme tout au long du *Seicento*. Pour l'autre versant de l'art de Ludovic, nous sommes redevables au don d'un collectioneur d'une petite peinture sur cuivre provenant de la collection Giustiniani – une œuvre dans laquelle Ludovic rend hommage à la fois à l'élégance du Parmesan et aux sibylles peintes par Michel-Ange dans la Chapelle Sixtine.

En 1997, l'occasion se présenta de combler l'absence d'une œuvre de la maturité du Caravage. Chargé en 1985 d'organiser au Metropolitan Museum l'exposition *The Age of Caravaggio*, j'avais eu, alors, la possibilité de me forger une opinion

67

sur la toile en question : *Le Reniement de saint Pierre*. Son attribution au Caravage était de date récente et sa lointaine provenance incertaine – nous savons maintenant qu'en 1613, elle était en possession du graveur Luca Ciamberlano, qui la céda à Guido Reni en remboursement d'une dette, lequel, à son tour, la vendit au cardinal Paolo Savelli. J'étais en train de préparer le dossier pour la soumettre au comité d'acquisition, quand le bruit me parvint que d'aucuns ne considéraient pas qu'elle fût représentative du Caravage au sommet de son art : comment, en effet, pouvait-elle se comparer aux célèbres tableaux qu'il avait peints durant sa période romaine ? Toutefois, j'avais acquis la conviction que l'artiste avait, en fait, produit ses œuvres les plus personnelles et les plus étonnantes *après* avoir été contraint de fuir Rome et que la rapidité d'exécution et le caractère presque inachevé de ce tableau en particulier, avec sa touche mouvementée et sa représentation véritablement extraordinaire de la psychologie des personnages, en faisaient une œuvre de tout premier plan et, qui plus est, d'une incroyable modernité. Vous avez là le cas d'une acquisition qui coïncida avec une importante avancée dans la recherche. Il en alla de même avec l'entrée dans les collections du Met d'une œuvre de jeunesse de Ribera, suite à l'identification des premières toiles de cet artiste par Gianni Papi. Nous fûmes alors en mesure d'acquérir l'un de ses plus ambitieux tableaux datant de cette période, le *Saint Pierre pénitent* dans un paysage.

L'un des aspects de la peinture du début du XVIIe siècle qui m'a toujours fasciné est la pratique de la peinture sur le motif. Cela faisait partie du programme des études à l'académie de peinture des Carrache à Bologne et cela devint la marque de fabrique du mouvement caravagesque. La saisissante et rapide étude d'une vieille femme – peut-être la mère de l'artiste – peinte par Orazio Borgianni pouvait sembler une addition mineure à notre collection et elle ne coûta pas grand-chose,

mais, pour moi, elle entraînait le spectateur tout droit dans l'atelier de l'artiste. Je ne pense pas que chaque acquisition doive être ce qu'on appelle une « œuvre majeure ». Par sa touche agitée porteuse d'émotion, celle-ci me semblait également entrer en parfaite résonance avec l'œuvre tardive du Caravage. Elle faisait probablement partie du répertoire de l'artiste, dont il se servait pour peindre des œuvres de commande, telle que celle aujourd'hui conservée à la Galleria Nazionale du Palais Barberini à Rome. À l'opposé, le ravissant portrait d'une beauté romaine dû à Giovanni Battista Gaulli, un peintre qui collabora avec le Bernin, illustre à mes yeux l'ambition des artistes du XVIIe siècle d'aller au-delà des apparences et de rendre au plus près la personnalité du modèle saisi dans l'action ou au repos.

Lorsqu'on construit une collection, trouver un équilibre entre les grands maîtres connus de tous les visiteurs et des artistes de moindre renom mais dotés d'une voix propre me paraît tout aussi important que de nourrir un dialogue constant entre les grands foyers artistiques ou entre des œuvres de commande et d'autres plus spontanées. Par son intensité expressive et sa brillante maîtrise stylistique, le *Saint François en extase* de Giovanni Benedetto Castiglione a enrichi la collection d'une œuvre exceptionnelle de ce peintre génois de premier plan travaillant, comme Gaulli, à Rome. Et ce, même si ce tableau va à l'encontre de l'opinion communément reçue qui veut que Castiglione ait été, d'abord et avant tout, un peintre d'animaux et d'ustensiles de cuisine.

S'il y a un trait qui distingue la collection baroque du Metropolitan – un chantier encore largement en cours – c'est qu'étant entrée tardivement dans la course, elle a été délibérément conçue dans l'idée d'illustrer les grands principes qui rendent cette période si cruciale pour toute histoire de la peinture européenne.

1– Bernard Berenson, *North Italian Painters of the Renaissance*, Putnam's Sons, New York et Londres, 1907 p. 157.
2– Roger Fry, *Burlington Magazine*, 41, 1922, p. 158.

Creating a Baroque Collection at the Metropolitan Late in the Game

Keith Christiansen (Chairman, Department of European Paintings, The Metropolitan Museum of Art)

When, together with Anna Cavina, I was asked to help organize a series of talks for Paris Tableau, the topic that came to mind was the collecting of Baroque painting in American museums. The reason for this was quite simple: it is the area in which The Metropolitan Museum of Art – where I have worked for the last 38 years – has been most active it its effort to make up for the fact that the collecting of Baroque painting had been sorely neglected during the first hundred years of the museum's existence. (The Metropolitan was founded in 1870 by a group of private citizens who felt their city needed a major art museum if it was ever to achieve the status of a capitol of culture: unlike most European museums, it is private and self-sustaining, though a contribution for its operations is made by the city.) I was hired as a curator by the chairman of the Department of European Paintings, Sir John Pope-Hennessy, for my work in 15th-century Italian painting. My knowledge of 17th-century Baroque painting was and, in most important ways, still is limited. But then, my two predecessors – John Pope-Hennessey and Everett Fahy – were also specialists in early Renaissance painting. So the Metropolitan Museum's collection of 17th- and 18th-century Italian paintings has the distinction of having largely been formed by curators with no scholarly investment in the field. In Europe, this would be inconceivable. In American museums, more often than not, it is the norm.

First a bit of background concerning the collections at the Metropolitan Museum. The vast majority of paintings – perhaps as many as 80 percent – have entered as donations or bequests. So to a remarkable degree the collection represents the taste of New York collectors, in somewhat the same way that the collections in the Prado and Kunsthistorisches Museum represent Hapsburg taste in Madrid and Vienna or the Alte Pinakothek in Munich represents the taste of the Wittelsbach family. The curator's task has been to build on those donations and bequests so that the collection comes to represent the history of European painting and not merely the idiosyncrasies of local taste at a given moment. This task was particularly daunting when it came to Baroque painting, for New York collectors – past and present – have traditionally displayed little feeling for Baroque art. You only need to think of The Frick Collection to make yourself aware of the total disregard for 17th-century Italian painting in the early years of the 20th century by one of the foremost collectors of his day. Frick's biases were shared by the great donors to the Metropolitan, from the department store magnate Benjamin Altman, whose magnificent collection was bequeathed in 1914,

to the banker-investor Jules Bache, whose collection arrived in 1949. Both men owned outstanding pictures of the Renaissance as well as superb Dutch paintings and some outstanding works by Velázquez and Goya. But neither owned Italian Baroque paintings – or even 17th-century French paintings for that matter. The curatorial task to make up for this deficiency would seem pretty obvious. Which is why it still seems a remarkable fact that during the period between 1930 and 1944, when A. Everett Austin (better known as Chick Austin) was building an outstanding collection at the Wadsworth Atheneum in Hartford – just a two-hour drive north of New York City – curators at the Met made almost no effort to acquire Baroque paintings.

It is easy to forget just how unpopular Baroque painting had become in America, thanks in part to the influential writings of John Ruskin and Bernard Berenson. Of the 17th-century Italian pictures that appear in the 1940 catalogue of Italian and Spanish paintings in the Metropolitan, only Salvator Rosa's beautiful self-portrait, which was bequeathed to the museum in 1921, is still displayed on a permanent basis. The one major acquisition during those years, when European scholars were laying the groundwork for our understanding of the period, was the purchase of Ribera's great *Holy Family* in 1934 from the Earl of Harewood. But this exception rather proves the rule, since an admiration for Spanish painting belonged to the aesthetics of Modernism – and Ribera was seen as a Spanish rather than a Neapolitan painter.

It now seems altogether astonishing that as late as 1970, the Italian Baroque pictures in the collection could be easily displayed in a single, medium-sized gallery, and that even then it was necessary to borrow some works from private collectors. Many of the paintings that would be recognized today as the keystones were not present. Perhaps the situation is best illustrated by a view of the long wall of the largest of the three galleries in which Baroque pictures are hung today (fig. 1). Only six of the twenty-one paintings in the gallery were already in the collection in 1970. In the following gallery (fig. 2), in which smaller, cabinet pictures are displayed, the statistics are even more surprising, for all fifteen pictures on display have been acquired since 1970. I hope that these views will give you an idea of the quantity as well as quality of the acquisitions made over the last forty-five years: it represents the ambitions of three department chairmen to rectify the neglect of Baroque painting and to put it on an equal footing with the museum's world-famous collection of 17th-century Dutch and 19th-century French paintings.

First as curator and then, since 2009, as chairman of the department, I have tried to make sure that this initiative extends as well to the 18th century in Italy and to French and Spanish 17th-century paintings. A good number of French 17th-century pictures have been acquired since 1975. My colleague Stephan Wolohojian will be speaking about the most important recent acquisition in that area: Charles Le Brun's monumental portrait of *Everhard Jabach and His Family* that was purchased for us just a year ago by Mrs. Charles Wrightsman and that has, quite literally, transformed the museum's presentation of the *Grand Siècle*.

As I already noted, the most evident reason for the lack of interest in Baroque painting was the continued influence of Ruskin and Berenson. Especially Berenson's influence is crucial to understanding the prevailing taste. He believed that Baroque art – whether the "eclecticism" of the Carracci or the "realism" of the Caravaggisti – formed a chapter of decline. As he summed up the matter in his 1907 essay on north Italian painting: "Although in the last three and a half centuries [Italy] has brought forth thousands of clever and even delightful painters, she has failed to produce a single great artist."[1] The great British critic Roger Fry, who was employed by the Metropolitan as a consultant, was even more devastating in his judgment. In a 1922 article in *Burlington Magazine*, he accused 17th-century Italian artists of having "invented vulgarity, and more particularly vulgar originality in art."[2]

These devastating aesthetic views had an enormous impact not only on collectors but also on museum curators and directors. John Walker, chief curator at the National Gallery beginning in 1939, and then director between 1956 and 1969, went to Harvard University and there followed much the same trajectory as Chick Austin. He knew Philip Johnson and Lincoln Kirstein and co-founded the Society for Contemporary Art. Then came his six years at Berenson's villa, I Tatti, outside Florence, with the result that whereas Chick Austin combined a love of theater and contemporary music with Baroque art and Surrealism, Johnnie Walker's interests remained firmly traditional.

Imagine for a moment: When the great Caravaggio *Saint John the Baptist*, painted around 1604 for the Genoese banker Ottavio Costa, came on the market in 1951, it was turned down by both Ted Rousseau, the urbane head of the Department of Paintings at the Metropolitan Museum, and by Johnnie Walker at the National Gallery. What the Metropolitan Museum did buy the following year was Caravaggio's early *Musicians*, painted about 1595 for his first patron and promoter, Cardinal Francesco Maria del Monte. A newly discovered picture, it had been recommended to the museum by Denis Mahon, who of course was not only a key figure in the critical re-appraisal of 17th-century Italian painting in England and America, but someone who came to play an active role in helping the Metropolitan Museum to expand its collections. Yet is there anyone today who would hesitate for even a moment in designating the *Saint John the Baptist*, eventually acquired by the Nelson-Atkins Museum in Kansas City, as the greater work? Historically, of course, *The Musicians* is an important picture both for its early date and its application of a realist style to an allegorical subject. But quite apart from its poor condition, it lacks precisely the things we have come to value in Caravaggio: that brooding, psychological intensity and the dramatic effect of the sharply focused light and the aggressively realist representation of the posed model.

The purchase of Caravaggio's *Musicians* in 1952 was certainly inspired by the great monographic exhibition organized by Roberto Longhi in the Palazzo Reale in Milan the preceding year. But its acquisition did not really mark a change in collecting, and over the next two decades there was little evidence of a real commitment to the project of forming a major Baroque collection. This despite the fact that the 1960s really did mark a kind of watershed. Let me give by way of example the case of Guido Reni. Once again, it was a landmark exhibition on the artist, held in Bologna in 1954, that put Reni's achievements before a large public and provided a catalyst for the collecting of this most famous painter in the Anglo-Saxon world, where interest in his work had lain dormant. In 1957 the National Gallery in London acquired from the Princes of Liechtenstein the great, late *Adoration of the Shepherds*. It was the first work by the artist to be added to the collection since 1847 and behind its purchase was the urging figure of Denis Mahon. The Metropolitan Museum followed suit in 1959 with the acquisition of Reni's altarpiece of the *Immaculate Conception*. In retrospect, we can see that, like the secular-themed Caravaggio, this work had exactly the credentials necessary for a fundamentally conservative institution. The picture came from the celebrated Ellesmere collection in Bridgewater House, London; it had been commissioned in 1627 by the Spanish ambassador in Rome for the Infanta of Spain; and it had been installed in the cathedral of Seville, where it exerted an influence on Spanish painters such as Murillo. Even so, its acquisition elicited no real enthusiasm. In 1969, the Detroit Institute of Arts purchased their beautiful *Angel Appearing to Saint Jerome*, and that same year the Cleveland Museum of Art purchased its truly extraordinary, late, unfinished *Adoration of the Magi* (if I had a choice, that's the one I would pick, hands down). It was also in 1969 that the future benefactors of the Metropolitan Museum, Charles and Jayne Wrightsman, were encouraged by the young Everett Fahy to purchase their exquisite painting of *Charity*. Fahy was the first curator at the Metropolitan to have a genuine interest in Baroque painting.

It was not just the acquisition of these works by Guido Reni that signaled the winds of change. In 1960 the Toledo Museum of Art in Ohio added to its collection

Pietro da Cortona's marvelous *Saint Peter Damien Offering the Rule of the Camaldolese Order to the Virgin* – the picture was commissioned by Cardinal Francesco Barberini – and the following year they bought Mattia Preti's wonderfully staged *Feast of Herod*. The Detroit Institute of Arts acquired its beautiful painting by Orazio Gentileschi of *Young Woman with a Violin (Saint Cecilia)* in 1968; its Caravaggio *Martha and Mary Magdalene* in 1973; and its *Fortune Teller* by Bartolomeo Manfredi in 1979. During these same years the Metropolitan Museum acquired a grand work by Salvator Rosa, *The Dream of Aeneas* – that was in 1965 – and in 1969 it was given Artemisia Gentileschi's *Esther before Ahasuerus*. Then, in 1971, it secured a work of great historical resonance: Annibale Carracci's *The Coronation of the Virgin*. This famous picture was painted for Cardinal Pietro Aldobrandini and had been owned since 1939 by Denis Mahon. In most histories of art Caravaggio and Annibale Carracci represent the two poles of Baroque painting, and you might think from the acquisition – twenty years apart – of *The Musicians* and *The Coronation of the Virgin* that the Metropolitan's collection had been carefully plotted out. This is hardly the case, but it does remind us of the fact that the formation of a collection in a museum – apart from the gifts and bequests – is dependent on three factors. First is the desire to collect in a given area and the knowledge of what works are necessary to give the collection the shape it should have if it is to represent a historical moment or movement properly. Second is the availability of works of the requisite kind and quality. And third is the financial means by which these works can be acquired: either with the funds of the institution or the commitment of a supporter. Choices have to be made and those choices inevitably reflect the tastes, knowledge and idiosyncrasies of the individuals empowered to make them.

A personal recollection: In 1981, I went to a restorer's studio to see a major work by Valentin de Boulogne that had come on the market. Valentin is an artist whose work I have deeply admired ever since my first visit to the Louvre in 1967. Together with Ribera he seems to me to be the most original of the Caravaggisti, and although his entire career took place in Rome, he was avidly collected in France – at Versailles the king's bedroom is decorated with five pictures by the artist, whose impact on 19th-century French painting was also considerable. Valentin was not the only major 17th-century French artist the Metropolitan lacked. It had no work by Simon Vouet, the Le Nains, Eustache Le Sueur or Charles Le Brun. This seemed to me incomprehensible and I have worked hard to fill each void, though I'm still looking for a Vouet. I was incredibly excited to see the Valentin, with its animated composition, dramatic use of light, and wonderful psychological characterization. How was it, I wondered, that we were not considering the picture? Well, it was turned down by Pope-Hennessy because he was considering another work that had come on the market at the same time and the museum could not afford both. That other work was Andrea Sacchi's portrait of *Marc'Antonio Pasqualini Crowned by Apollo* (fig. 3). It is a magnificent picture that is described in detail by Bellori when it was owned by Cardinal Giulio Rospigliosi. Since 1758 it had belonged to the Earls Spencer. I'm pretty sure that popular taste today would favor the Valentin, but in the late 1940s Pope-Hennessey had catalogued the Domenichino drawings in the Queen's collection and from that task he had developed a deep appreciation for Baroque classicism. In the acquisition papers he gave a frank if somewhat dryly cerebral endorsement for the picture that implies the importance of his scholarly work on Domenichino as the motivating factor. "I have seen the picture on many occasions at Althorp and in the last thirty years I have always accepted the orthodox view that this is one of the finest Roman paintings of the second quarter of the seventeenth century in private ownership." He knew where to park his Berensonian biases, for the picture is, indeed, not only a major work of Roman classicism, but it provides a unique insight into the culture of the Barberini court in Rome. The sitter, Marc'Antonio Pasqualini, was a singer in their operatic productions and is shown in Bacchic dress, wearing a leopard's pelt. The pose of the figure of Apollo emulates that of the famed Apollo Belvedere, but he has been studied from a live model – probably the one who we know was much admired by Domenichino for his beautiful physique. The musical instrument – a keyed harp – may well be an experimental instrument owned by the Barberini. The picture has become an anchor for the collection. In 2008 I was finally able to propose for acquisition a work by Valentin – a single-figure of a lute player that had belonged to Cardinal Mazarin.

The greatest Baroque painting acquired during Pope-Hennessy's tenure was unquestionably Guercino's *Samson Captured by the Philistines*. Once again, it was Denis Mahon – the foremost expert on the artist – who alerted Pope-Hennessy to the availability of the picture in January of 1978 – and who published it following its acquisition. It was being sold by a distant relation of the man who had commissioned it – Cardinal Jacopo Serra, the papal legate to Ferrara and an admirer of the young Guercino. The related pictures in the Louvre, the Kunsthistorisches Museum in Vienna and the Pinacoteca Nazionale in Bologna had always been considered among the artist's most innovative and exciting works; previously this one had been known through a copy in the Musée d'Angoulême. In the early 20th century the picture had been moved to Beirut, which in the 1970s was engulfed in the civil war. What with the devastating bombing of the city, the owners thought the time had come to sell it. No one could have predicted the appearance of the picture or the fact that it would be offered to the Metropolitan. But that is what happened. Once again, it was the Wrightsmans – the key supporters of the department during the last forty years – who stepped in to purchase it for the museum.

While Sacchi's picture takes the viewer into the world of Roman classicism, Guercino's is a landmark in the creation of a genuinely Baroque style. Under Pope-Hennessy other works were acquired – for example Giulio Cesare Procaccini's *Madonna and Child with Saints Francis and Dominic* and Scipione Pulzone's *Lamentation* from Il Gesù. There was a motive to each, but it is the combination of Caravaggio's *Musicians* with Annibale Carracci's *Coronation of the Virgin*, and of Guercino's *Samson Captured by the Philistines* with Sacchi's *Marc'Antonio Pasqualini* that established the character of the collection – one based on a kind of dialectic of Baroque painting.

Since Pope-Hennessy's retirement in 1987 it has been my task – first as curator of Italian paintings and then as chairman of the department – to build on that core. Unquestionably, the acquisitions reflect my own particular interests, but I hope that those interests have expanded over the years and represent to some degree the real character of Baroque painting in Italy. Here are some examples to give an idea of the range of works we have been collecting and the rationale that lies behind their acquisition.

No painter in Europe in the second half of the 16th century was more important to the creation of Baroque style than Federico Barocci, so I was particularly pleased when we were able to acquire a splendid, late work by the artist – the only one in an American museum. That was in 2003. We know nothing about its early history, though I have attempted to reconstruct the possible circumstances surrounding its creation. (I proposed that the picture, given its late date and its conception as a meditation on Saint Francis and the stigmata, may have been a gift to the prior of the convent of San Francesco in Urbino, where Barocci made arrangements for a funerary chapel.)

As already noted, in 1971 we had acquired a major work of Annibale Carracci's Roman, classical style. What we lacked was a picture that would exemplify the Carraccis' contribution to their pictorial revolution in Bologna the 1580s. In 1994 I therefore recommended that the museum take advantage of the availability of a rare genre picture that at the time was ascribed to Agostino Carracci but has, upon further research, emerged as by his more talented brother, Annibale. And when, seemingly out of nowhere but actually from an Italian family in Argentina, there appeared at auction in 2000 a startlingly experimental work by Ludovico Carracci, I again urged that we bid aggressively to obtain it. This *Lamentation* turns out to have been commissioned by Ludovico's most avid patron, Count Alessandro Tanari. So we now possess two paintings by the Carracci cousins that set the stage for the great flowering of naturalism in the Seicento. For the other side of Ludovico's

art we are indebted to the gift of a small copper from the Giustiniani collection of the *Madonna and Child with Saints* – a work in which Ludovico pays homage to both Michelangelo's sibyls in the Sistine Chapel and to the elegance of Parmigianino.

An opportunity to make up for the lack of a mature work by Caravaggio presented itself in 1997. In 1985 I had been assigned responsibility at the Metropolitan for the exhibition *The Age of Caravaggio*, and it was during that time that I formed my views about the picture in question – *The Denial of Saint Peter*. The attribution to Caravaggio was of recent date and its early provenance unestablished, though we now know that in 1613 it was owned by the printmaker Luca Ciamberlano, who gave it to Guido Reni in payment of debt; Reni, in turn, sold it to Cardinal Paolo Savelli. As I prepared the paperwork to present the picture to the acquisition committee, I began to hear that there were those who felt it did not represent Caravaggio at his best: after all, how could it compare with his famous paintings in Rome? But I had formed the conviction that the most personal and astonishing work by Caravaggio was actually what he painted *after* he fled from Rome and that the rapid, almost unfinished quality of this particular picture, with its agitated brushwork and truly extraordinary psychological characterization, made it an incredibly important and even modern-seeming work. So this was a case of an acquisition coinciding with recent scholarship. As was our purchase of an early work by Ribera in the wake of the identification of his first paintings by Gianni Papi. We were able to acquire one of his most ambitious pictures from this moment, of the penitent Saint Peter in a landscape.

One of the aspects of early 17th-century painting that has fascinated me is the practice of painting from life. It was part of the curriculum in the Carracci academy in Bologna and it is the hallmark of Caravaggesque painting. An arresting, quickly painted study of an old woman by Orazio Borgianni – it possibly depicts the artist's mother – might seem a minor addition to the collection and it did not cost much, but it seemed to me to take viewers into the artist's workshop. I don't believe that every acquisition has to be what one might call a "major picture". This work also seems to me to relate to the late Caravaggio in an intensely meaningful way: agitated brushwork as a conveyor of emotion. The picture was probably part of the artist's repertoire and was used in painting a formal work, like the one in the Galleria Nazionale in Palazzo Barberini in Rome. By contrast, a ravishing portrait of a Roman beauty by a painter who collaborated with Bernini – Giovanni Battista Gaulli – exemplifies for me the ambition of 17th-century artists to move beyond mere appearance and convey the personality of the sitter caught in a momentary action or pose.

Striking a balance in the collection between the great figures known to all visitors and those lesser-known artists with an individual voice seems to me as important as establishing a constant dialogue between formal and informal pictures and between the major centers of artistic activity. The expressive intensity and brilliant manipulation of style in Giovanni Benedetto Castiglione's *Saint Francis in Ecstasy* added to the collection an exceptional work by a leading Genoese painter working, like Gaulli, in Rome. But it is one that runs counter to the common idea of Castiglione as the painter of animals and cooking utensils.

If there is a distinguishing characteristic of the collection of Baroque at the Metropolitan – which is still very much a work in progress – it is that, having started late in the game, it has been consciously formed with a view to exemplifying the ideas that make this period so fundamental to any history of European painting.

1– Bernard Berenson, *North Italian Painters of the Renaissance*, New York and London, 1907, p. 157.
2– Roger Fry, *Burlington Magazine*, 41, 1922, p. 158.

Le Brun en Amérique : l'entrée de deux nouvelles toiles au Metropolitan Museum of Art

Stephan Wolohojian

Curator, Department of European Paintings, The Metropolitan Museum of Art

En 2013 et 2014, le Metropolitan Museum of Art procéda à l'acquisition de deux peintures de Charles Le Brun. Bien que celles-ci n'eussent guère de traits communs – l'une, d'inspiration classique, date de son retour en France à l'issue d'un séjour de trois ans d'apprentissage et d'étude de l'art antique à Rome ; l'autre est un portrait de groupe dans un style très proche de la peinture du Nord, peint avant qu'il n'obtienne le titre de « premier peintre » du roi Louis XIV – ces toiles connurent une même destinée au XXᵉ siècle, où elles furent l'une et l'autre cachées en pleine vue. *Le Sacrifice de Polyxène* (fig. 1) orna pendant plus de 30 ans la suite qu'occupait Coco Chanel au Ritz à Paris ; l'imposant portrait de *La Famille Jabach,* accroché au rez-de-chaussée d'un manoir anglais, se laissait apercevoir derrière un impressionnant bouquet de glaïeuls sur une photographie parue dans le magazine *Country Life*[1] (fig. 2)[2].

L'acquisition de ces deux toiles, chacune importante en soi, a rehaussé le profil de Le Brun en Amérique, en permettant de mieux apprécier l'intelligence artistique de cette figure dominante de la peinture française du XVIIᵉ siècle, ainsi que sa capacité à assimiler différents styles et à répondre aux attentes de ses protecteurs. La peinture de l'artiste fut longue à traverser l'Atlantique. Dans le catalogue incontournable de l'exposition *France in the Golden Age : Seventeenth-Century French*

Paintings in American Collections de 1982, Pierre Rosenberg n'attribue sans équivoque que deux œuvres à Le Brun[3]. Si ce projet d'envergure avait été réalisé 15 ans plus tôt, les deux toiles répertoriées n'y auraient même pas figuré, de sorte que le travail de l'artiste n'y aurait pratiquement pas été représenté. Par la suite, Rosenberg aura l'occasion de déplorer les lacunes auxquelles il dut faire face pour présenter un éventail complet de la peinture et des ambitions artistiques du « Grand Siècle », notamment le manque d'œuvres d'artistes fondamentaux – dont Le Brun – dans les musées américains[4]. Les deux acquisitions du Metropolitan Museum auraient sans doute changé la donne et les musées américains, de Los Angeles à New York, possèdent aujourd'hui une demi-douzaine de peintures de Le Brun.

Aux États-Unis, Le Brun fut d'abord connu non pas pour sa peinture, mais pour ses estampes et tapisseries[5]. Dans une lettre à son conseiller allemand datant de 1852, Francis Calley Gray, un des premiers collectionneurs systématiques d'estampes en Amérique, évoque le plaisir que lui a procuré l'achat de « *la série de Lebrun & Edelinck bien que vous sembliez,* ajoute-t-il, *vous demander si j'approuve ou non cet achat.* »[6] Guère plus d'un demi-siècle plus tard, Arabella Huntington convoite deux tapis Savonnerie conçus pour la grande Galerie du Louvre qui décorent alors l'intérieur du financier J. P. Morgan à Londres ; par la suite, elle parviendra à les acheter auprès de ses héritiers et ils seront expédiés en Amérique en 1913[7]. Il est toutefois difficile de savoir quand les collectionneurs américains commencèrent à rattacher ces créations à l'œuvre de Le Brun[8]. Les deux tapis destinés à la grande Galerie semblent avoir été les premiers à arriver aux États-Unis et, sur les 93 que comprenait la

Fig. 1 – Charles Le Brun

Le Sacrifice de Polyxène, 1647,
huile sur toile, 171 x 131 cm
New York, Metropolitan Museum of Art
(2013.183)

The Sacrifice of Polyxena

série, six d'entre eux sont aujourd'hui dans des collections publiques ; de belles tapisseries dont Le Brun a dessiné les cartons se trouvent également dans diverses collections américaines.

Étant donné les particularités de la carrière picturale de Le Brun, passée essentiellement au service du roi à partir du début des années 1660, les œuvres indépendantes disponibles sont peu nombreuses, d'où la difficulté pour les institutions de combler leurs lacunes par l'achat de peintures de qualité. Par ses récentes acquisitions, le département de peinture européenne du Metropolitan

Museum a contribué de manière considérable à l'étude et à l'appréciation, hors de France, de l'œuvre de cet artiste clé. Dans les pages qui suivent, je me propose donc d'examiner en détail les deux tableaux en question.

La première toile, *Le Sacrifice de Polyxène*, est signée et datée de 1647, l'année qui suit le retour à Paris de Le Brun après son séjour romain. La composition soigneusement élaborée résume de manière fort cohérente ce qu'il a appris dans la ville éternelle. On ignore pour qui la toile fut exécutée, mais il est certain qu'elle aurait satisfait le

Fig. 2 – Charles Le Brun

La Famille Jabach, vers 1660, huile sur toile, 280 x 328 cm, New York, Metropolitan Museum of Art (2014.250)

Everhard Jabach IV and His Family

goût pour l'antiquité classique de quelque mécène cultivé ; ses dimensions, le format vertical et le point de vue en contre-plongée auraient parfaitement convenu à un accrochage au-dessus d'une cheminée. On sait que Le Brun était de retour à Paris en 1647 ; Claude Nivelon, son biographe, précise toutefois qu'en chemin il séjourna à Lyon puis à Dijon. Après l'achat du tableau par le musée en 2013, Olivier Lefeuvre a découvert que la toile était à Dijon à la fin du XIXe siècle, et il est fort possible qu'il s'agisse d'une commande locale[9].

Le Brun se rendit à Rome aux côtés de Poussin grâce au patronage de Pierre Séguier. On sait qu'il étudia et copia, entre autres, des œuvres de Raphaël et de Michel-Ange ; selon Nivelon, il s'intéressait aussi tout particulièrement au patrimoine antique de la ville, dont « *il ne laissa aucune des belles figures antiques ni des bas-reliefs sans les étudier, sans les dessiner* »[10]. Un chroniqueur de l'époque note qu'il se comporte presque en archéologue, observant soigneusement « *les différents usages et les habillements des anciens, leurs exercices de paix et de guerre, leurs spectacles, leurs combats, leurs triomphes, sans oublier leurs édifices et les règles de leur architecture.* »[11] Dans *Le Sacrifice of Polyxène*, Le Brun place ses personnages au premier plan comme dans un bas-relief classique, tel le *Marcus Aurelius offrant des sacrifices devant le Capitole* du cahier de dessins remis à Pierre Séguier par l'artiste. Le Brun traite la composition moins comme espace pictural que comme scène : les lointaines collines derrière les personnages de droite servent de second plan au lieu de créer un effet de profondeur, les autres éléments du tableau jouant le rôle d'accessoires.

Les spécialistes soutiennent qu'il n'existe pratiquement pas de représentations du *Sacrifice de Polyxène* avant le célèbre tableau exécuté par Pietro da Cortona vers 1624 pour la famille Sacchetti à Rome et qu'après, curieusement, peu de peintres abordent cette thématique[12]. On ne saurait dire si Le Brun eut l'occasion de voir la fameuse toile de Cortona pendant son séjour romain, mais la concision avec laquelle il traite le sujet ainsi que le choix du format vertical ne rappellent guère l'horizontalité et la densité de la composition du tableau

monumental de Cortona[13]. En outre, la grâce de l'héroïne, que Le Brun représente debout, bras tendus, n'a pas d'équivalent dans la peinture du XVIIe siècle.

En l'absence de modèles visuels dont Le Brun eût pu s'inspirer et à l'aune desquels le peintre et ses protecteurs eussent pu mesurer le tableau, il est tentant d'imaginer le jeune peintre plein d'ambition en train de rivaliser avec les artistes de l'antiquité avec une composition d'après un texte littéraire. Depuis la Renaissance, les artistes s'inspiraient de textes décrivant certaines peintures disparues pour « recréer » les chefs-d'œuvre de l'antiquité, la réception critique de ces œuvres nouvelles s'appuyant sur l'appréciation littéraire que donnaient les auteurs classiques de l'original. *Le Sacrifice d'Iphigénie* de Timanthe décrit par Cicéron[13] est une de ces fréquentes recréations. Vers le milieu des années 1650, Le Brun peint un *Sacrifice d'Iphigénie*, destiné à orner un manteau de cheminée chez le premier président du Parlement, Pomponne II de Bellièvre. Cette peinture, aujourd'hui disparue, suscite l'enthousiasme de Nivelon ; en 1662, à propos d'une autre scène de sacrifice – celui de Jepthé – Loménie de Brienne fait également l'éloge du talent de Le Brun, qu'elle juge supérieur à celui de Timanthe parce que celui-ci, au désespoir de parvenir à décrire l'angoisse du père dans toute sa complexité, cache le visage du père, tandis que Le Brun, surpassant son modèle, représente l'émotion des personnages[15]. Dans le tableau du Metropolitan Museum, qui date de la décennie précédant ces autres *Sacrifices*, Le Brun rivalise déjà avec Timanthe : il y dépeint, en effet, l'émotion des personnages dans toute sa complexité, approche qu'il théorisera par la suite et qui deviendra un aspect clé de la peinture académique du XVIIe siècle.

En l'absence de représentations visuelles ayant pu servir de modèle à la tragédie de Polyxène, la plupart des spécialistes en attribuent l'inspiration aux *Métamorphoses* d'Ovide[16]. Dans le récit qu'en fait Ovide, durant le siège de Troie, Achille s'éprend de Polyxène, fille du roi Priam et de la reine Hécube, mais trouve la mort avant d'avoir pu l'épouser. À la chute de Troie, ses troupes débarquent en Thrace et le fantôme d'Achille leur apparaît pour exiger l'immolation de Polyxène sur son tombeau. Fidèle à la version d'Ovide, Le Brun situe la scène auprès du sarcophage qui domine la composition du côté gauche. Ovide raconte que la malheureuse Polyxène fait preuve d'un courage exceptionnel lorsqu'on l'entraîne vers le tombeau et il interrompt son récit pour lui laisser la parole au moment où elle confronte Néoptolème alors qu'il s'apprête à la poignarder. Il s'agit là d'un moment important dans le récit d'Ovide car Polyxène cesse d'être passive pour devenir maîtresse de sa destinée, or Le Brun est le seul artiste à la représenter ainsi. Peut-être est-ce dû à l'influence de son maître, François Perrier. Dans un dessin représentant le sacrifice of Polyxène, qui n'est pas cité comme exemple dans les études d'ensemble sur les divers traitements du thème, Perrier représente, de même, le personnage debout les bras tendus au centre de sa composition (fig. 3)[17]. Bien que le dessin de Perrier s'inspire directement de la toile de Cortona (qui lui fut d'ailleurs attribuée à un moment donné), Perrier est le premier à représenter le personnage les bras tendus dans une attitude de défi. Il est difficile de déterminer le lien entre Le Brun et Perrier, mais le parallèle entre la peinture du Metropolitan Museum et le dessin de Perrier incite à s'interroger sur les relations entre les deux hommes dans les années 1640[18]. Tandis que Perrier montre Polyxène seule au centre de sa composition, Le Brun s'inspire d'Euripide et inclut le personnage de la mère, Hécube, comme élément dynamique. Le traitement des personnages de la mère et de la fille joue sur les contrastes – tons feutrés et lourdeur du vêtement d'Hécube, bleu lumineux et légèreté de celui de Polyxène, qui ondoie dans la direction opposée à celle de sa mère ; assurance et maîtrise de soi de la fille, que l'horreur et le désespoir de sa mère rendent d'autant plus sensibles.

Rappelons que vers le milieu du XVIIe siècle l'intérêt pour les tragédies d'Euripide s'affirme considérablement dans les milieux littéraires français et qu'Hécube passe alors pour l'image même de la figure tragique : elle a régné sur Troie avant d'être réduite en esclavage, de voir immoler sa fille en l'honneur de ceux qui ont fait périr ses fils, puis d'assister au lâche meurtre de son seul fils survivant, laissé sans sépulture par ceux qui étaient censés le protéger. Les souffrances dont Hécube se voit successivement accablée sont telles que le public du XVIIe siècle en trouve le spectacle presque excessif. Dans sa *Poétique* (1639), La Mesnardière trouve le sacrifice poignant de Polyxène particulièrement insoutenable et à la limite de la décence[19]. Conscient de l'intérêt dramatique que présente, d'un point de vue visuel, la focalisation sur Hécube inspirée d'Euripide, Le Brun ne s'en tient pas au récit d'Ovide et met à profit l'engouement pour le théâtre d'Euripide des milieux littéraires contemporains. Le jeune artiste a sans doute compris que l'expression qui se lisait sur les visages des protagonistes illustrerait au mieux l'action dramatique. Dans *Le Sacrifice de Polyxène*, plus que dans tout autre tableau précédent, le peintre qui accordait « *une importance primordiale à l'expression* » se

Fig. 3 – François Perrier

Le Sacrifice de Polyxène, vers 1640-1650, craie noire, encre avec plume et pinceau, lavis gris rehaussé de gouache blanche sur papier bleu avec mise au carreau à la craie noire, 31,4 x 37,3 cm, Vienne, Albertina (inv. 13168)

The Sacrifice of Polyxena

mesure aux anciens et développe visuellement une conception de l'expression des visages qui servira de manifeste aux artistes français des siècles à venir[20].

Le grand portrait de *La Famille Jabach* peint par Le Brun est également sans précédent puisque seules les familles dynastiques ou monarchiques avaient jusque-là fait l'objet d'un portrait aussi ambitieux et de pareilles dimensions. Le tableau exécuté par Le Brun marque un tournant dans l'histoire du portrait et constitue un *unicum* (fig. 2). Son vif intérêt pour la physionomie sert manifestement Le Brun portraitiste. La ressemblance de chaque membre de la famille – jeune ou vieux, attentif ou distrait – est, en effet, rendue avec subtilité et il est donc surprenant qu'un artiste aussi doué que Le Brun pour le portrait n'en ait réalisé que quelques-uns au cours de sa longue carrière. *La Famille Jabach* appartient à une poignée de portraits datant de la fin des années 1650 que l'artiste réservait à un petit cercle d'amis et de clients. Il est pratiquement de la même taille que le fameux portrait équestre du chancelier Séguier, son protecteur, aujourd'hui conservé au Louvre. Tandis que celui-ci représente l'une des figures les mieux placées et les plus puissantes de son époque en tenue de cérémonie et accompagné de ses pages, la toile du Metropolitan Museum nous montre un riche banquier et industriel d'origine étrangère entouré des siens dans le cadre opulent de sa résidence.

On se contentera ici de rappeler l'essentiel du mécénat d'Everhard Jabach, qui a fait l'objet d'études précises, par Antoine Schnapper notamment[21]. Né en Allemagne dans une famille de banquiers et de collectionneurs, Jabach s'occupa, dès sa jeunesse, des intérêts financiers familiaux à Anvers et en Angleterre. Naturalisé français, il fit fortune dans la finance et la production de matériel militaire[22]. À l'âge de 19 ans, Jabach confia à Rubens l'exécution d'un retable pour la chapelle des Jabach à Cologne et, au cours des décennies suivantes, réunit l'une des collections de peintures et de dessins les plus significatives de son temps. À Londres, il acheta des œuvres importantes à Thomas Howard, deuxième comte d'Arundel, et

fit concurrence aux collectionneurs les plus redoutables en 1650-1651, lors de la liquidation de la collection royale suite à l'exécution de Charles Ier. Sa collection de dessins était tellement remarquable que Bernini demanda à la voir lors d'un passage à Paris en 1665. En 1662 et en 1671, grâce à l'entremise du cardinal Mazarin dont il était proche, Jabach vendit à la couronne une partie de son impressionnante collection, laquelle servit de pierre angulaire à la collection royale et de noyau fondateur à celle du Louvre[23].

Si Séguier et les autres clients de Le Brun eurent une influence déterminante sur sa destinée professionnelle, ses relations avec Jabach étaient non tout autant une source considérable de prestige que fondées sur l'amitié[24]. Nivelon raconte que Le Brun « *était uni d'amitié et d'inclination avec le sieur Jabach* » et qu'« *il a peint toute la famille de cet ami, qui est un tableau d'environ seize pieds de long, qui est une chose très belle et considérable.* » Nivelon oublie toutefois de mentionner que Le Brun s'est représenté en train de peindre dans le miroir à droite de Jabach. Le geste s'inscrit, d'une certaine manière, dans la tradition du portrait double, gage d'amitié artistique depuis la Renaissance, mais il peut aussi s'interpréter à la lumière des nombreux autoportraits que les artistes destinaient à leurs amis – comme par exemple l'*Autoportrait de 1649* que Poussin peignit pour Jean Pointel. Ici la présence de l'artiste en tant qu'ami de la famille, témoin, et créateur de ce remarquable tableau, de même que l'importance du miroir dans ces tableaux, invite la comparaison avec les célèbres *Ménines* de Velázquez, exécuté quelques années plus tôt. Mais ne divergeons pas.

Le groupe familial et l'intérieur richement décoré nous sont révélés par le rideau écarté. Everhard Jabach, vêtu de noir à la mode orientale de l'époque, désigne du doigt des objets figurant ses préoccupations matérielles et intellectuelles, au-dessus desquels trône un buste doré de Minerve, déesse de la sagesse : y sont représentés la peinture (par Le Brun lui-même), le dessin (par les trois crayons et les lignes tracées sur le rouleau de papier bleu), la sculpture, ainsi que la géométrie et l'astronomie avec le globe céleste. L'autre côté du tableau est consacré à sa famille : son épouse et ses quatre enfants avec, à leurs pieds sur le luxueux tapis, peut-être d'Ouchak, leurs animaux de compagnie[25]. Penché vers l'épaule de son père, le fils aîné et héritier de Jabach fait le lien entre les deux parties distinctes de la composition. Les personnages sont représentés dans un cadre fastueux, véritable appel aux sens[26].

À la vue de *La famille Jabach* en 1774, Goethe fut touché par l'intense présence des personnages et par l'impression de vie qui s'en dégageait : « *L'ancien et riche propriétaire* [...] *était représenté assis avec sa femme, entouré de ses enfants ; tous étaient là frais et vivants, comme d'hier, comme d'aujourd'hui, et pourtant tous étaient morts. Ces fraîches et rondes joues d'enfants avaient aussi vieilli et pourtant, sans cette ingénieuse imitation, il n'en serait resté aucun souvenir. Dominé par ces impressions, je ne saurais dire ce que je devins. Mes dispositions morales et mes facultés poétiques les plus intimes se manifestèrent par la profonde émotion de mon cœur.* »[27]

La manière dont Le brun a représenté la famille Jabach est, à mains égards, sans précédent. Situer les personnages dans un intérieur s'inscrit plus dans la tradition néerlandaise que dans celle du portrait à la française ou l'anglaise, où les modèles sont habituellement représentés dans un cadre ambigu, tout en draperies ou semi-naturel[28]. Le tableau de Le Brun a l'envergure et la richesse de ton et de texture d'un van Dyck, sans parler de la caractérisation des modèles et de la précision avec laquelle sont peints leurs animaux de compagnie. Jabach admirait Van Dyck avec qui il s'était lié d'amitié, il collectionnait ses œuvres et lui avait commandé trois portraits quelques décennies plus tôt[29]. *La Famille Jabach* témoigne de l'attitude réceptive et de l'approche collaborative d'un Le Brun à l'écoute de son client. Le peintre contribue ainsi au développement d'un nouveau type de portrait, qui s'affirmera en France dans la seconde moitié du siècle, époque à laquelle Van Dyck est considéré comme le portraitiste par excellence par des théoriciens tel Félibien, voire de Piles, entre autres[30]. Le public restera toujours sensible au fait que le portrait des Jabach ne s'inscrit pas dans la

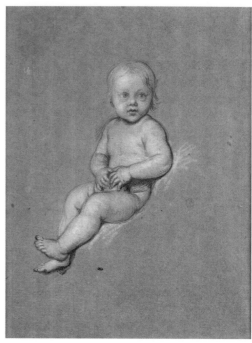

Fig. 4 – Charles Le Brun

Étude pour Heinrich Jabach, vers 1660, craie noire avec rehauts de pastel sur papier gris-beige, 40,2 x 29,5 cm, Paris, musée du Louvre (inv. 28871, recto)

Study for Heinrich Jabach

tradition française. Henry Jouin, auteur en 1889 de la première monographie sur Le Brun, déclare dans sa conclusion : « *Rubens n'a pas mieux composé ses grands portraits, et, à n'observer que le type des Jabach, on serait tenté de prendre l'œuvre de Le Brun pour une peinture flamande.* »[31]

Étant donné les dimensions exceptionnelles de ce portrait ambitieux, il est remarquable que Le Brun en ait peint deux versions presque identiques. La seconde toile ne figure ni dans l'ouvrage de Nivelon ni dans aucune source ancienne française ; en 1694, elle est toutefois répertoriée parmi les possessions du beau-frère de Jabach à Cologne et on en déduit donc qu'elle était destinée à la demeure des membres de la famille résidant dans la ville[32]. On ne saurait déterminer les raisons de cette double exécution ni l'ordre dans lequel les deux portraits furent peints. On sait néanmoins que Le Brun craignait qu'on copie ses œuvres. En 1656, le roi lui accorda le rare privilège d'interdire la reproduction illicite de ses peintures et on peut donc supposer qu'il avait mis en place une structure susceptible de produire des copies officielles. Les deux versions de *La Famille Jabach* ont la particularité d'avoir, semble-t-il, été exécutées en même temps, même s'il est difficile de déterminer dans quelles conditions. Un seul des dessins préparatoires nous est parvenu, la merveilleuse étude aux trois crayons d'Heinrich conservée au Louvre, et l'examen technique du tableau du Metropolitan Museum ne révèle que quelques traces de *pentimento* ou de dessin sous-jacent (fig. 4)[33]. Bien qu'il ne soit plus possible d'examiner l'autre version, conservée au Kaiser-Friedrich-Museum de Berlin au XIXᵉ siècle et détruite dans un incendie en 1941, on décèle dans la version du Metropolitan Museum des variations de contours, des corrections de détails, et des changements importants dans la position et les caractéristiques du buste de Minerve. Un examen détaillé des radiographies de la toile de New York et de sa surface révèle de nombreuses similarités dans la position et l'apparence des éléments constitutifs des deux versions. D'où la conclusion que les deux toiles furent peintes en même temps mais que ces corrections et modifications ne furent portées que sur l'une d'entre elles. Même si on ne peut guère affirmer pourquoi, il n'est pas rare, qu'en cas de réalisation simultanée d'une peinture originale et de sa copie, le maître concentre son effort sur la première version.

Jabach garda sans doute la version originale de cette œuvre magistrale pour lui à Paris. À la mort de son fils au début du XVIIIᵉ siècle, le tableau rejoint la résidence des Jabach à Cologne, et les deux versions se trouvent alors dans la même ville. Ceux qui vont voir le portrait ne savent pas toujours quelle version ils admirent[34]. C'est la toile de Paris qui inspire à Goethe ses propos admiratifs, mais c'est l'autre version qui intéresse Joshua Reynolds et dont il fait des esquisses[35]. En 1792, Henry Hope, banquier d'affaires à l'immense fortune, procède à l'acquisition de la toile parisienne et la fait installer dans sa vaste demeure aux Pays-Bas, puis à Londres. L'autre version reste dans la ville à laquelle elle était destinée pendant plus de deux cents ans jusqu'à son acquisition en 1836 par Berlin.

À la mort de Hope en 1811, le portrait de la famille Jabach est vendu aux enchères une première fois en 1816, puis en 1832. Installé au manoir d'Olantigh en Angleterre, il y tombe dans l'oubli, de sorte que de nombreux spécialistes en viennent à supposer que le tableau de Berlin est la version principale. Son extraordinaire réapparition en 2014 a permis au public d'aujourd'hui, de voir pour la première fois le tableau que Goethe a tant admiré.

À son arrivée au Metropolitan Museum, Carol Vogel rappellera aux lecteurs du *New York Times* que dans la France du XVIIᵉ siècle Charles Le Brun était « *un artiste qu'on s'arrachait* ». Grâce aux deux toiles qui ont enrichi les collections du Metropolitan Museum et aux acquisitions effectuées par d'autres musées américains depuis l'exposition de Pierre Rosenberg en 1982, une nouvelle génération de visiteurs américains va pouvoir désormais découvrir pourquoi on en fait tant d'histoires.

1– Christopher Hussey, «Olantigh, Near Wye, Kent-III », *Country Life*, 146, n° 3779, 7 août 1969, p. 336, fig. 6.

2– Dans une longue bibliographie, deux études fondamentales d'Anthony Blunt s'imposent : «The Early Work of Charles Lebrun», *The Burlington Magazine for Connoisseurs*, 85, 1944, p. 166-173 et 186-194. Dans *L'Ascension de Charles Le Brun : liens sociaux et production artistique*, Paris, 2010, Bénédicte Gady évoque l'existence possible du portrait. Ma présentation des deux œuvres acquises par le Metropolitan Museum of Art s'appuie sur les précieuses notices détaillées signées Keith Christiansen du catalogue en ligne du musée : http://www.metmuseum.org/collection/the-collection-online.

3– Pierre Rosenberg, *France in the Golden Age: Seventeenth-Century French Paintings in American Collections*, New York, 1982, p. 355.

4– Pierre Rosenberg, «France in the Golden Age: A Postscript», *Metropolitan Museum Journal*, 17, 1984, p. 24.

5– Bien qu'elles restent introuvables, il convient de mentionner aussi deux peintures attribuées à Le Brun et citées dans un catalogue de vente du début du XIXᵉ siècle ayant appartenu à Eliza Jumel (Rosenberg 1982, p. xvii). À propos d'Eliza Jumel, née Bowen (1775-1865), voir Dianne Sachko Macleod, «Eliza Bowen Jumel: Collecting and Cultural Politics in early America », *Journal of the History of Collections*, 13, 2001, p. 57-75.

6– Lettre en date du 5 janvier 1852, adressée à Louis Theis, dans Marjorie B. Cohn, *Francis Calley Gray and Art Collecting for America*, Cambridge, MA, 1986, p. 267. Gray semble avoir possédé au moins 19 œuvres de Le Brun sous forme d'estampes, dont huit gravées par Edelinck.

7– À propos de ces tapis, voir Kimberly Chrisman-Campbell, « In the Footsteps of the Sun King », *Huntington Frontiers*, été/printemps 2006, p. 14-17.

8– D'après une lettre de Bella da Costa Greene à Mitchell Samuels, en date du 24 août 1915 (copie conservée au Département de sculpture et d'arts décoratifs européens du Metropolitan Museum of Art), ces tapis étaient simplement décrits, dans la vente à Morgan, comme provenant de « *la Salle d'Apollon au Louvre* ». Je remercie Melinda Watt du Metropolitan Museum d'avoir attiré mon attention sur ce point.

9– *Catalogue des meubles, tableaux, et objets d'art provenant en partie de la collection Baudot*, Dijon, 12 février 1900, lot 119.

10– Claude Nivelon, *Vie de Charles Le Brun et description détaillée de ses ouvrages*, ed. Lorenzo Pericolo, Genève, 2004, p. 120. Voir Stéphane Loire, « Charles Le Brun à Rome (1642-1645) : les dessins d'après l'antique », *Gazette des Beaux-Arts*, 136, 2000, p. 73-102.

11– Alexandre-François Desportes, cité par Loire, p. 74-75.

12– Voir Donald Posner, « Pietro da Cortona, Pittoni, and the Plight of Polyxena », *Art Bulletin*, 73, n° 3, 1991, p. 399-414, qui, en s'appuyant sur Pigler, croit que le tableau de Cortona et une toile de Giovanni Francesco Romanelli conservée aussi au Metropolitan Museum of Art de New York (54.166) sont les seules peintures sur le sujet.

13– À propos de l'influence de Pietro da Cortona sur Le Brun durant le séjour de celui-ci en Italie, voir Gady, p. 159-160.

14– Jennifer Montagu, « Interpretations of Timanthes's *Sacrifice of Polyxena* » dans *Sight & Insight: Essays on art and culture in honour of E. H. Gombrich at 85*, ed. John Onians, Londres, 1994, p. 305-325.

15– Nivelon, p. 202-206. Loménie de Brienne citée par Montagu, p. 310. L'argument est repris par Caylus au XVIIIe siècle à propos du *Sacrifice d'Iphigénie* de Carle van Loo. Voir Melissa Percival, *The Appearance of Character: Physiognomy and Facial Expression in Eighteenth-Century France*, Leeds, 1999, chap. 5 surtout. On notera que *Le Sacrifice de Jepthé* était destiné aussi à un dessus de cheminée.

16– Ovide, *Métamorphoses* (XIII).

17– Albertina (inv. n° F.122), voir Eckhart Knab et Heinz Widauer, *Die Zeichnungen der Französischen Schule von Clouet bis Le Brun (Beschreibender Katalog der Handzeichnungen in der graphischen Sammlung Albertina)*, vol. 8, Vienne, 1993, p. 226-227 ; et Walter Vitzhum, « Zuschreibungen an François Perrier », dans *Walter Friedlaender zum 90. Guburtstag*, Berlin, 1965, p. 212, où le dessin de Perrier est publié comme tel pour la première fois.

18– Alvin L. Clark Jr. date ce dessin des années 1640 dans « François Perrier as Draftsman », *Master Drawings*, 38, n° 2, 2000, p. 138, n° 33, tandis que pour Knab et Widauer il remonte au premier séjour romain de l'artiste (vers 1629).

19– Pour un aperçu de la réception de l'*Hécube* d'Euripide aux XVIe et XVIIe siècles, voir Malcolm Heath, « "Jure principem locum tenet" : Euripides' *Hecuba* », *Bulletin of the Institute of Classical Studies*, 34, 1987, p. 40-68.

20– Montagu, p. 310.

21– Antoine Schnapper, *Curieux du grand siècle : collections et collectionneurs dans la France du XVIIe siècle : œuvres d'art*, Paris, 2e éd., eds. Mickaël Szanto et Sophie Mouquin, Paris, 2005, p. 267-282. Outre son importante collection de dessins italiens, Jabach possédait des œuvres des écoles du Nord, voir : *Un Allemand à la cour de Louis XIV : De Dürer à Van Dyck, la collection nordique d'Everhard Jabach*, eds. Blaise Ducos et Olivia Savatier Sjöholm, catalogue d'exposition, musée du Louvre, Paris, 2013.

22– À propos des activités de Jabach en France, l'essai du vicomte de Grouchy reste la meilleure source : « Éverhard Jabach : collectionneur parisien (1695) », *Mémoires de la Société de l'Histoire de Paris et de l'Île-de-France*, 21, 1894, p. 217-292. Pour un bref aperçu de la Compagnie des Indes, voir Brigitte Nicolas, *Au bonheur des Indes orientales*, Quimper, 2014. En ce qui concerne Jabach et Aubusson, voir Cyprien Pérathon, « Evrard Jabach, Directeur de la Manufacture royale d'Aubusson », *Réunion des Sociétés des Beaux-Arts des départements*, 1897, p. 1063-1078 ; et Christine Raimbault, « Evrard Jabach (1618-1695), directeur de la Manufacture royale des tapisseries d'Aubusson », dans *La Tapisserie hier et aujourd'hui*, eds. Arnauld Brejon de Lavergnée et Jean Vittet, Paris, 2011, p. 65-78.

23– Pour en savoir plus sur cette transaction complexe et le rôle que joua Le Brun, voir Antoine Schnapper, « Encore Jabach, Mazarin, Louis XIV, mais non Fouquet », *Bulletin de la Société de l'Histoire de l'art français*, 1989, p. 75-76 ; et Schnapper, p. 273-275.

24– Voir Gady, chap. 4-8, pour un aperçu de cette époque importante.

25– Anna Maria, née de Groote, et leurs quatre enfants (de gauche à droite) : Everhard le Jeune (1656-1721), Hélène (1654-1701), Heinrich (1658-1703) et Anna Maria (1649-1706). À propos de la peinture, voir Wilhelm Baumeister, « Zur Geschichte des Lebrunschen Jabachbildes », *Wallraf-Richartz Jahrbuch*, 3-4, 1926-1927, p. 211-221. Pour un essai très récent sur Jabach à Cologne, voir Rita Wagner, « Kölner Kunstsammler und Global Player: Von der Sternengasse nach Paris – Die Familie Jabach », *Köln in unheiligen Zeiten: Die Stadt im Dreißigjährigen Krieg*, ed. Stefan Lewejohann, Cologne, 2014, p. 117-126.

26– Pour une liste détaillée des objets représentés dans le tableau, voir la notice rédigée par Keith Christiansen pour le catalogue en ligne du Metropolitan Museum of Art.

27– Johann Wolfgang von Goethe, *Mémoires de Goethe*, tr. Jacques Porchat, Paris, Hachette, 1862, p. 536-537.

28– Voir F. Grossmann, « Holbein, Flemish Paintings and Everhard Jabach », *The Burlington Magazine*, 93, 1951, p. 16-25. Jabach connaissait peut-être *Thomas More et sa famille* (détruit) d'Holbein, peinture de taille monumentale, montrant l'humaniste assis parmi les siens dans un intérieur. Une étude préparatoire représente une des filles de More penchée vers son père (Bâle, Kupferstichkabinet, 1662.31).

29– George Geldorp, peintre flamand originaire de Cologne, servit d'intermédiaire à Jabach lorsque celui-ci commanda de Londres un tableau à Rubens et l'aida peut-être à passer commande auprès de van Dyck et de Peter Lely, qui firent l'un et l'autre le portrait de Jabach. Parmi les œuvres issues de la collection Jabach dont Louis XIV fit l'achat en 1671, se trouvaient dix peintures par ou attribuées à Van Dyck. Dans son *Cours de peinture par principes* (Paris, 1708, p. 291-293), Roger de Piles reprend la description par Jabach de la manière dont Van Dyck travaillait.

30– Voir Olivier Bonfait, « Du visage au masque : le portrait dans la littérature d'art », dans Emmanuel Coquery, ed., *Visages du Grand Siècle : le portrait français sous le règne de Louis XIV*, catalogue d'exposition, musée des Beaux-Arts, Nantes, 1997, p. 35-48.

31– Henry Jouin, *Charles Le Brun et les arts sous Louis XIV*, Paris, 1889, p. 308.

32– Voir Baumeister, p. 216-218.

33– Paris, musée du Louvre (inv. 28871 recto).

34– À la fin des années 1790, Wallraf écrit que le tableau « *n'était pas entièrement achevé par Le Brun.* » Propos cité par Baumeister, p. 219.

35– Paris, Fondation Custodia, collection Frits Lugt, MS 6169, p. 89r.

Le Brun in America: Two New Paintings at The Metropolitan Museum of Art

Stephan Wolohojian (Curator, Department of European Paintings, The Metropolitan Museum of Art)

In 2013 and 2014, The Metropolitan Museum of Art acquired two paintings by Charles Le Brun. Although these paintings have little in common – one is classically inspired, painted on the artist's return from Rome where he had spent three years studying and learning from the antique; the other, a group portrait, very much in the manner of northern projects of this type, executed in the years leading to the painter's appointment as "*premier peintre*" to Louis XIV – they both shared a history in the twentieth century of being hidden in plain sight. The *Sacrifice of Polyxena* (fig. 1) spent the last century in the elegantly appointed apartment at the Ritz Hotel in Paris occupied for over three decades by Coco Chanel; the large portrait of *Everhard Jabach IV and His Family* hung in the ground floor corridor of a British country house, visible behind an impressive spray of gladioli in a photograph in *Country Life*[1] (fig. 2).[2]

The Met's acquisition of these two paintings, important in their own right, has changed the profile of Le Brun in America, and these works invite deeper insight into the artistic intelligence of this towering figure of French 17th-century painting and his responsiveness to different artistic currents and his patron's demands. Paintings by the artist were late in coming to America's shores. In his foundational exhibition catalogue of 1982, *France in the Golden Age: Seventeenth-Century French Paintings in American Collections,* Pierre Rosenberg was able to list only two works he could unequivocally assign to the artist.[3] Had his far-reaching project been undertaken 15 years earlier, not even those two canvases would have been included, essentially leaving the artist unrepresented. In a later assessment of his project, Rosenberg lamented the gaps that he had to contend with in presenting the full range and ambition of painting in the "Grand Siècle," singling out especially the poor representation in American museums of paintings by key artists – Le Brun among them.[4] The two acquisitions at the Metropolitan would certainly have offered a different proposition and there are now a half a dozen paintings by Le Brun in institutions from Los Angeles to New York.

The early history of works by Le Brun in America begins not in paint but with prints and tapestries.[5] In a letter to his German advisor from 1852, Francis Calley Gray, one of America's earliest systematic print collectors, mentions his special pleasure in acquiring "the series from Lebrun & Edelinck, though you seem, to doubt whether I may not disapprove the purchase."[6] Little more than a half a century later, Arabella Huntington coveted two Savonnerie carpets, from the project for the Louvre's Grande Galerie, on the floors of financier J. P. Morgan in London, which she was later able to acquire from his estate and bring to American in 1913.[7] However, it is unclear when American collectors began to associate their designs with Le Brun.[8] These appear to be the first two carpets from the Grande Galerie project to arrive in America and there are now a good six from the series of 93 in public collections, and fine tapestries designed by Le Brun are scattered in collections throughout the country.

Considering the special nature of Le Brun's career as a painter, which after the early 1660s was spent mostly in the service of the king, independent paintings by the artist were not easy to come by and acquiring fine paintings by Le Brun is a difficult institutional gap to fill. The recent acquisitions by the Department of European Paintings at the Metropolitan Museum add immeasurably to our ability to study and assess this seminal artist beyond French borders and I will turn for the remainder of this paper to a closer examination of these works.

The first painting, the *Sacrifice of Polyxena*, is signed and dated 1647, the year after Le Brun's return from Rome, and its carefully worked composition is one of the painter's most cohesive displays of what he learned in that city (see fig. 1). Although the context of its commission is unknown, it would certainly have appealed to the antiquarian sensibilities of an erudite patron; its dimensions, vertical disposition, and perspective from below would have worked well as an overmantel. We know that Le Brun was back in Paris in 1647 but his biographer Claude Nivelon tells us that this was by way of an extended stay in Lyon, and then Dijon. After the painting's acquisition by the museum in 2013, Olivier Lefeuvre discovered that the canvas was in Dijon at the end of the 19th century, and it is certainly possible that Le Brun executed it for a patron in that city.[9]

In Rome, Le Brun was under the tutelage of Poussin and the patronage of Pierre Séguier. We know that he studied and copied works by Raphael, Michelangelo, and others, but Nivelon emphasizes his particular interest in the city's ancient past: "il ne laissa aucune des belles figures antiques ni des bas reliefs" that were found in that city without studying them.[10] One of his chroniclers records his almost archaeological attention to this material, remarking on his close observation of "les différents usages et les habillements des anciens, leurs exercices de paix et de guerre, leur spectacles, leurs combats, leurs triomphes, sans oublier leurs édifices et

other theorists.[30] Indeed, the non-Frenchness of the Jabach painting was never lost on its viewers. Henry Jouin, when writing the first monographic study on the artist in 1889, concluded that "Rubens n'a pas mieux composé ses grands portraits, et, à n'observer que le type des Jabach, on serait tenté de prendre l'œuvre de Le Brun pour une peinture flamande."[31]

Given the extraordinary size and ambition of the Jabach family portrait, it is remarkable that Le Brun painted two nearly identical versions of it. The second canvas is not mentioned by Nivelon or other early French sources, but in 1694 the painting is recorded at Jabach's brother-in-law's house in Cologne and it seems likely that it was intended to be displayed in the house of family members in that city.[32] What prompted the creation of two paintings and the sequence in which they were made is unclear. We know that Le Brun was concerned about copies of his work. In 1656, he received the rare royal privilege forbidding the unauthorized reproduction of his paintings and we can assume that he had an established studio structure to produce sanctioned copies instead. The two Jabach paintings are interesting since we assume they were a joint commission and executed at the same time, but how they were made is difficult to determine. Only one preparatory drawing survives, the wonderful study in *trois crayons* of Heinrich in the Louvre, and technical examination of the Metropolitan's painting shows few signs of pentimenti or underdrawing (fig. 4).[33] Although we can no longer study the other painting, which in the 19th century became part of the Kaiser Friedrich Museum in Berlin and was destroyed by fire in 1941, the Metropolitan's painting shows adjustments to contours and to details and a significant compositional change in the placement and features of the bust of Minerva. Looking closely at the surface of the New York canvas and at x-rays of it, one sees many elements that were identical in placement and appearance to what is seen in the Berlin version. This suggests that the pictures were worked on together but that Le Brun continued to adjust and make changes to only one canvas as work progressed. The simultaneous execution of an autograph painting and workshop replica in which the master continues to modify and concern himself chiefly with the prime version was not unusual, even if the circumstances explaining why this happened are difficult to determine.

Jabach no doubt kept the primary version of this magisterial work for display in Paris. When, after the death of his son at the beginning of the 18th-century, it was installed in the Jabach house in Cologne, both paintings were in that city. Those who travelled to see the celebrated portrait were not always aware of which painting they were looking at.[34] Goethe's arresting words were in response to the "Paris" canvas, yet Joshua Reynolds studied and made sketches from the other.[35] In 1792, the Paris version was acquired by Henry Hope, the immensely wealthy merchant banker, and sent to his palatial villa in the Netherlands and eventually to London. The other version remained in the city for which it had originally been destined for almost two hundred years until it was acquired in 1836 for Berlin.

Following Hope's death in 1811, the large family portrait was sold at auction in 1816, and then again in 1832, when it was installed in the country house Olantigh, remaining there, all but forgotten, which led many scholars to assume that the painting in Berlin was the prime painting. Its stunning re-emergence in 2014 allowed modern audiences to see, for the first time, what Goethe had experienced.

When the painting arrived at the Metropolitan Museum, Carol Vogel writing in the *New York Times* reminded her American readers that in 17th-century France Charles Le Brun was "as hot as any artist could be." Through these new paintings at the Met and acquisitions made by other American museums in the decades since Pierre Rosenberg's 1982 exhibition, a new generation of American viewers is poised to discover how hot he really is.

1– Christopher Hussey, "Olantigh, Near Wye, Kent-III", *Country Life*, 146, no. 3779, August 7, 1969, p. 336, fig. 6.

2– In a large bibliography, the two basic studies are two articles by Anthony Blunt, "The Early Work of Charles Lebrun", *The Burlington Magazine for Connoisseurs*, 85, 1944, pp. 166-73, and 186-94. Bénédicte Gady, *L'Ascension de Charles Le Brun : liens sociaux et production artistique*, Paris, 2010 mentions the possible existence of the portrait. My discussion of both works owes a great debt to Keith Christiansen who wrote the indispensable entries in The Metropolitan Museum of Art's on-line catalogue where these works are discussed in detail: http://www.metmuseum.org/collection/the-collection-online.

3– Pierre Rosenberg, *France in the Golden Age: Seventeenth-Century French Paintings in American Collections*, New York, 1982, p. 355.

4– Pierre Rosenberg, "'France in the Golden Age': A Postscript", *Metropolitan Museum Journal*, 17, 1984, p. 24.

5– Although they have been impossible to track down, we should also mention two paintings ascribed to Le Brun in an early 19th-century sales catalogue that belonged to the cosmopolitan Eliza Bowen Jumel (1775-1865). Rosenberg 1982, p. xvii. On Jumel, see Dianne Sachko Macleod, "Eliza Bowen Jumel: Collecting and Cultural Politics in early America", *Journal of the History of Collections*, 13, 2001, pp. 57-75.

6– Letter of January 5, 1852, to Louis Theis, in Marjorie B. Cohn, *Francis Calley Gray and Art Collecting for America*, Cambridge, MA, 1986, p. 267. Gray seems to have had no fewer than 19 prints associated with Le Brun, eight of which relate to Edelinck.

7– On the Huntington carpet, see Kimberly Chrisman-Campbell, "In the Footsteps of the Sun King", *Huntington Frontiers*, Summer/Spring 2006, pp. 14-17.

8– In a letter of August 24, 1915, from Bella da Costa Greene to Mitchell Samuels (copy in the object files, European Sculpture and Decorative Arts, Metropolitan Museum of Art), it appears that, in their sale to Morgan, they were identified simply as "*formerly in the Salle d'Apollon at the Louvre.*" My thanks to Melinda Watt at the Metropolitan Museum.

9– *Catalogue des meubles, tableaux et objets d'art provenant en partie de la collection Baudot*, Dijon, February 12, 1900, lot 119.

10– Claude Nivelon, *Vie de Charles Le Brun et description détaillée de ses ouvrages*, ed. Lorenzo Pericolo, Geneva, 2004, p. 120. See Stéphane Loire, "Charles Le Brun à Rome (1642-1645) : les dessins d'après l'antique", *Gazette des Beaux-Arts*, 136, 2000, pp. 73-102.

11– Alexandre-François Desportes, cited in Loire, pp. 74-5.

12– See Donald Posner, "Pietro da Cortona, Pittoni, and the Plight of Polyxena", *Art Bulletin*, 73, no. 3, 1991, pp. 399-414, who, working from Pigler, believed that Cortona's painting and a canvas of the same subject by Giovanni Francesco Romanelli, in the Metropolitan Museum of Art, New York (54.166), are the singular examples in paint.

13– For the impact of Pietro da Cortona on Le Brun during his time in Italy, see Gady, pp. 159-60.

14– Jennifer Montagu, "Interpretions of Timanthes's *Sacrifice of Polyxena*" in *Sight & Insight: Essays on art and culture in honour of E. H. Gombrich at 85*, ed. John Onians, London, 1994, pp. 305-25.

15– Nivelon, 202-6. Loménie de Brienne cited in Montagu, p. 310. This debate was taken up again by Caylus in the 18th century in response to a *Sacrifice of Iphigenia* by Carle van Loo. See Melissa Percival, *The Appearance of Character: Physiognomy and Facial Expression in Eighteenth-Century France*, Leeds, 1999, esp. chapter 5. It is worth noting that the *Sacrifice of Jeptha* was also over a fireplace.

16– Ovid, *Metamorphoses* (XIII, pp. 439-80).

17– Albertina (inv. no. F.122), see Eckhart Knab and Heinz Widauer, *Die Zeichnungen der Französischen Schule von Clouet bis Le Brun (Beschreibender Katalog der Handzeichnungen in der graphischen Sammlung Albertina)*, vol. 8, Vienna, 1993, pp. 226-7; and Walter Vitzhum, "Zuschreibungen an François Perrier", in *Walter Friedlaender zum 90. Guburtstag*, Berlin, 1965, p. 212, who first published it as by Perrier.

18– Alvin L. Clark Jr., "François Perrier as Draftsman", *Master Drawings*, 38, no. 2, 2000, p. 138, n. 33, dates the sheet to the 1640s, whereas Knab and Widauer believe it belongs to the artist's first visit to Rome (c. 1629).

19– For an overview of the 16th- and 17th-century reception of Euripides's *Hecuba*, see Malcolm Heath, "'Jure principem locum tenet': Euripides' *Hecuba*", *Bulletin of the Institute of Classical Studies*, 34, 1987, pp. 40-68.

20– Montagu, p. 310.

21– Antoine Schnapper, *Curieux du grand siècle : collections et collectionneurs dans la France du XVIIᵉ siècle : œuvres d'art*, Paris, 2nd ed., eds. Mickaël Szanto and Sophie Mouquin, Paris, 2005, pp. 267-82. Although Jabach had strengths in Italian drawings, for holdings from Northern Schools, see: *Un Allemand à la cour de Louis XIV : De Dürer à Van Dyck, la collection nordique d'Everhard Jabach*, eds. Blaise Ducos and Olivia Savatier Sjöholm, exh. cat., Musée du Louvre, Paris, 2013.

22– For a general history of Jabach in France, the early essay by vicomte de Grouchy is still the best: "Évrard Jabach : collectionneur parisien (1695)", *Mémoires de la Société de l'Histoire de Paris et de L'Ile-de-France*, 21, 1894, pp. 217-92. For a brief overview of the Compagnie des Indes, see Brigitte Nicolas, *Au bonheur des Indes orientales*, Quimper, 2014. For Jabach and the Aubusson, see Cyprien Pérathon, "Evrard Jabach, Directeur de la Manufacture royale d'Aubusson", *Réunion des Sociétés des Beaux-Arts des départements*, 1897, pp. 1063-78; and Christine Raimbault, "Evrard Jabach (1618-1695), directeur de la Manufacture royale des tapisseries d'Aubusson", in *La tapisserie hier et aujourd'hui*, eds. Arnauld Brejon de Lavergnée and Jean Vittet, Paris, 2011, pp. 65-78.

23– On the complicated nature of this transaction and Le Brun's involvement in it, see Antoine Schnapper, "Encore Jabach, Mazarin, Louis XIV, mais non Fouquet" *Bulletin de la Société de l'Histoire de l'art français*, 1989, pp. 75-6, and Schnapper, pp. 273-5.

24– See Gady, chap. 4-8, for an overview of this important period.

25– Anna Maria, née de Groote, and their four children (from left to right): Everhard the Younger (1656-1721), Hélène (1654-1701), Heinrich (1658-1703) and Anna Maria (1649-1706). On the painting see, Wilhelm Baumeister, "Zur Geschichte des Lebrunschen Jabachbildes", *Wallraf-Richartz Jahrbuch*, 3-4, 1926-7, pp. 211-21. The most recent overview of Jabach in Cologne is Rita Wagner, "Kölner Kunstsammler und Global Player: Von der Sternengasse nach Paris – Die Familie Jabach", *Köln in unheiligen Zeiten: Die Stadt im Dreißigjährigen Krieg*, ed. Stefan Lewejohann, Cologne, 2014, pp. 117-26.

26– For a detailed list of the objects in the painting see Keith Christiansen's entry in the Metropolitan Museum's on-line catalogue.

27– W. D. Robson-Scott, *The Younger Goethe and the Visual Arts*, Cambridge, 1981, pp. 72-3.

28– See, F. Grossmann, "Holbein, Flemish Paintings and Everhard Jabach", *The Burlington Magazine*, 93, 1951, pp. 16-25. Jabach may have been familiar with Holbein's great mural-sized canvas *Sir Thomas More and His Family* (destroyed) which showed the humanist seated at the center of his family in an interior. The study for that painting shows one of More's daughters leaning over to her father (Basel, Kupferstichkabinet, 1662.31).

29– George Geldorp, a Cologne-born Flemish painter served as Jabach's agent when he commissioned Rubens from London and he may have helped secure works from van Dyck and Peter Lely, both of whom painted Jabach's portrait. Louis XIV's 1671 acquisition of works from Jabach's collection included ten paintings by, or attributed to, van Dyck. Roger de Piles, *Cours de peinture par principes*, Paris, 1708, pp. 291-3, records van Dyck's working practice as described by Jabach.

30– See Olivier Bonfait, "Du visage au masque : le portrait dans la littérature d'art" in Emmanuel Coquery, ed., *Visages du Grand Siècle : Le portrait français sous le règne de Louis XIV*, exh. cat., Musée des Beaux-Arts, Nantes, 1997, pp. 35-48.

31– Henry Jouin, *Charles Le Brun et les arts sous Louis XIV*, Paris, 1889, p. 308.

32– See Baumeister, pp. 216-18.

33– Paris, Musée du Louvre (inv. 28871 recto).

34– At the end of the 1790s, Wallraf wrote that the painting was "not entirely finished by Le Brun." Cited in, Baumeister, p. 219.

35– Paris, Fondation Custodia, Collection Frits Lugt, MS 6169, p. 89r.

L'art baroque aujourd'hui : une réflexion

Eve Straussman-Pflanzer

Assistant Director of Curatorial Affairs / Senior Curator of Collections, Davis Museum, Wellesley College

C'est au Smith College, en 1999, que je fus véritablement plongée pour la première fois dans l'univers de l'art baroque. En une seule année, j'eus la chance de suivre deux cours décisifs : des tours d'horizon de l'art italien et espagnol du XVIIe siècle proposés par le professeur Craig Felton, un spécialiste de Jusepe de Ribera (1591-1652). Plusieurs aspects de ces cours m'ont vivement marquée. D'abord, je me retrouvais toujours assise au premier rang. À l'époque, je croyais que ce choix m'était dicté par une irrépressible envie de savoir. Ou, pour le formuler autrement, qu'être au plus près de l'image et du professeur ferait de moi une meilleure éponge absorbante. J'étais loin de me douter que je finirais l'année équipée de ma première paire de lunettes. Quoique altérés par la myopie, ces cours furent mes premières leçons d'observation rapprochée. C'était aussi la première fois que mes réactions viscérales à l'art allaient de pair avec la rigueur intellectuelle. Aujourd'hui encore, *L'Apollon écorchant Marsyas* de Jusepe de Ribera (fig. 2) me fait tressaillir et détourner le regard. Ma passion pour l'émotivité patente et directe de la plupart des œuvres baroques était née. J'étais sensible à *La Madone des pèlerins* du Caravage, où les talons sales du pèlerin semblaient déborder du plan pictural jusque sur mes genoux, à la *Judith décapitant Holopherne* d'Artemisia Gentileschi, où le sang d'Holopherne semblait gicler sur ma robe-chemise et aux yeux sanglants, gonflés de larmes de la *Madeleine pénitente* de Carlo Dolci (fig. 3), à qui j'aurais aimé offrir du réconfort, ou au moins un mouchoir. Je trouvai dans les toiles des Carrache,

Fig. 1 – Diego Velázquez

Juan de Pareja, 1650, huile sur toile, 81,3 x 69,9 cm, New York, The Metropolitan Museum of Art (1971.86)

Juan de Pareja

du Caravage et de Velázquez de nouveaux interlocuteurs, dont je soupçonne qu'ils m'accompagneront toute ma vie.

L'héritage légendaire de l'art baroque ne tarda pas à s'imposer à moi. À ce stade crucial de mes études à Smith, je découvris un homme qui est mon ami et le vôtre : l'historien de l'art Heinrich Wölfflin (1864-1945), auteur en 1915 d'un livre à l'influence et à la postérité considérables, les *Principes fondamentaux de l'histoire de l'art*, qui, fort à propos, trouvent leur point culminant dans la période baroque. Je me souviens de mon soulagement à la découverte des dichotomies bien tranchées de Wölfflin : linéaire/pictural ; plans/profondeurs ; fermé/ouvert ; multiplicité/unité ; clarté/obscurité. Elles ricochaient sur ma langue comme une chanson. La période baroque fut pour Wölfflin ce que l'art moderne était pour d'autres – une apogée du développement stylistique. À quoi bon aller plus loin dans le temps quand tout ce dont on avait besoin se trouvait là, dans le *Seicento* ?

Plus tard, au lieu de savourer la sécurité de son étreinte chaleureuse, j'en viendrais à trouver la structure binaire de Wölfflin quelque peu restrictive. Elle n'en fournit pas moins un cadre utile à mes réflexions sur l'art baroque. Comme j'ai été amenée à le constater dans le cas de Wölfflin, mais aussi d'une myriade d'autres, ce n'est qu'à l'usage que les forces et les faiblesses d'une approche de l'histoire de l'art apparaissent. « *Peu à peu*, écrit Wölfflin de façon prémonitoire, *on comprendra comment un certain mode d'appréhension de la forme est nécessairement lié à une conception particulière de la couleur et que c'est au travers d'un ensemble complexe d'éléments stylistiques personnels que se révèle un tempérament.* »[1] Ainsi Wölfflin

Fig. 2 – Jusepe de Ribera

Apollon écorchant Marsyas, 1637, huile sur toile,
182 x 232 cm, Naples, Museo di Capodimonte

Apollo Flaying Marsyas

effleure-t-il la question délicate du style dans son rapport à l'individu qu'est l'artiste. Dans cet essai, en retour, les tribulations d'une historienne de l'art seront étudiées dans leur rapport avec les caractères formels de l'art baroque.

1– Linéaire/pictural

*« Le passage du linéaire au pictural,
c'est-à-dire de la considération de la ligne
en tant que conductrice du regard à
la dévalorisation croissante de cette ligne »*[2]

À l'issue de mon premier cycle universitaire, contrariant la ligne droite qui menait au master et au doctorat et trouvant réconfortant le royaume nébuleux qui s'offrait au jeune diplômé, j'exerçai la fonction d'assistante éditoriale au service des produits dérivés du Metropolitan Museum of Art. Au nombre de mes attributions figuraient la rédaction et la correction des légendes pour les coffrets de cartes postales du Met. Il m'arrivait aussi de devoir soumettre des produits dérivés à l'approbation des conservateurs. Je me souviens très bien avoir fait valider des assiettes en carton imitant la toile

de Jouy par nul autre que Thomas Campbell, l'actuel directeur du Met. Cette période d'exploration ne fut pas aussi futile qu'elle pouvait le paraître. Ayant dû corriger les légendes des cartes postales de Cézanne d'innombrables fois avant les réassorts, étant donné le succès du peintre au rayon papeterie, j'ai gardé à jamais gravées dans mon esprit sa date de décès (1906) et son approche picturale très prononcée, diagonale. Je saisissais aussi la moindre occasion de suivre les visites guidées du Met et j'assistai à presque toutes les conférences données dans le Grace Rainey Auditorium cette année-là. À grands coups de pinceau, je commençais peu à peu à entrevoir un chemin.

Chemin faisant, je développais notamment une relation longue et durable avec le *Juan de Pareja* de Velázquez (fig. 1). J'avais coutume de lui présenter mes respects à la faveur d'un pèlerinage quotidien. Je m'extasiais de voir les coups de pinceau diffus de Velázquez confluer pour créer quelqu'un de si vivant, de si présent, de si engagé dans son rapport avec chacun des spectateurs. Je jubilais de relever cette minuscule touche de peinture rouge sur son oreille droite qui, sans mélange, frappe l'œil de l'observateur attentif. Chaque jour, l'assistant de Velázquez – et peintre en son nom propre, apprendrais-je par la suite – était d'une humeur différente. Tantôt il était là, altier, à me regarder de haut ; tantôt il paraissait affable, le cœur généreux et le regard plein de bienveillance. La capacité de Velázquez à peindre des sujets figés et néanmoins toujours fluctuants ne cessait de m'émerveiller. Le fait est que, de façon peut-être inconsidérée, j'abordai cette « relation » avec Juan dans mon essai de candidature à un master d'histoire de l'art. Cette période de découverte de moi-même qui avait débuté dans les brumes abstraites de l'indécision déboucha alors sur une nouvelle étape, claire, distincte et, oserai-je le mot, linéaire. En 2000, je m'inscrivis en première année à l'Institute of Fine Arts de l'université de New York, en ayant appris que *« le passage du linéaire au pictural »* pouvait être autre chose qu'une voie à sens unique, que ce soit dans la progression de la Renaissance vers le baroque ou dans la vie. Bien sûr, j'espérais naïvement que les choses seraient plus nettes au cours du chapitre suivant.

2– Plans/profondeurs

« L'art classique dispose les parties en plans parallèles ; le baroque, lui, conduit le regard d'avant en arrière »[3]

Comme l'énonce Wölfflin au début du chapitre II des *Principes fondamentaux de l'histoire de l'art* : « *Dire qu'une évolution s'est produite, allant d'une présentation en surface à une présentation en profondeur, ce n'est rien dire de nouveau.* »[4] Pareillement, dire qu'un master, à son zénith, doit conduire à un sujet de thèse, ce n'est rien dire de très remarquable. Si les artistes des *Quattrocento* et *Cinquecento* avaient constamment le souci de la perspective en tête, on est en droit d'avancer que tout étudiant de master songe régulièrement à la forme (et au sujet) que sa future thèse prendra. Naturellement, il espère, malgré l'orgueil que cela suppose, qu'elle révolutionnera la discipline, un peu comme la profondeur et la perspective bouleversèrent le plan bidimensionnel il y a tant de siècles.

Durant cette période à l'Institute of Fine Arts, je commençai mes études d'histoire de l'art sur un plan nouveau. J'arrivais armée d'une série de dichotomies bien claires mais manquais de profondeur d'analyse. J'eus le privilège d'étudier auprès du regretté Donald Posner, qui enseignait à l'Institute of Fine Arts depuis 1962 et avait lui-même été l'étudiant de Walter Friedlaender (1873-1966). Comme l'indiqua la nécrologie de Posner dans le *New York Times*, en 2005 : « *Pionnier de la réévaluation de l'art baroque, Friedlaender comptait parmi ces éminents réfugiés venus de l'Allemagne et de l'Autriche nazies qui ont fait souffler un vent nouveau sur l'histoire de l'art américaine. À l'IFA, M. Posner ne tarda pas à apparaître comme l'héritier présomptif de Friedlaender dans le domaine baroque.* »[5]

Comptant parmi les derniers héritiers de l'intransigeante génération d'historiens de l'art d'origine allemande et autrichienne qui révolutionnèrent la discipline aux États-Unis et en Grande-Bretagne et furent nombreux à se concentrer sur le baroque – citons notamment Rudolf Wittkower (1901-1971) et Julius Held (1905-2002) – Posner occupait

Fig. 3 – Carlo Dolci

Madeleine pénitente, vers 1670, huile sur toile, 64,8 x 58,8 cm, Wellesley, Massachusetts, The Davis Museum

Penitent Magdalene

un terrain sacro-saint[6]. Il prit son rôle très au sérieux, se gardant de la pensée plane au profit d'une critique systématique de tout argument ou approche en histoire de l'art. Pas question d'employer une idée ou une théorie à la légère, seul un faisceau d'arguments soigneusement exposé, élégant pouvait faire l'affaire. Les cours de Posner sur l'art européen des XVIIe et XVIIIe siècles – ainsi que les quatre cours sur les débuts de l'art moderne italien que j'ai suivis avec Keith Christiansen, l'actuel directeur du département des peintures européennes du Met – m'aidèrent à privilégier une approche éclairée et à creuser jusqu'au cœur d'une idée en fouillant dans des recoins jusqu'alors inexplorés de mon esprit.

Forte de ces principes, je m'engageai dans une période à la fois privilégiée et redoutée de mes études : la préparation des oraux. Imaginez plusieurs heures dans une salle obscure à être bombardée de questions sur des toiles potentiellement inconnues ! Je garde un vif souvenir d'un avertissement de Keith Christiansen qui me hante encore aujourd'hui : « *Profitez bien de ce moment ! C'est peut-être la dernière fois que vous lisez !* » À l'époque, je n'avais pas véritablement saisi, mais le fait est que les obligations professionnelles et les nombreuses pérégrinations de la vie ne laissent guère de temps, comme je ne le sais que trop bien maintenant. Ce furent quatre mois de lecture et de réflexion sans entrave, une période pour élargir et approfondir sa perspective sur l'histoire de l'art.

L'un de mes souvenirs les plus chers de cette période d'étude ininterrompue fut la joie que me procurèrent les écrits de Sir Denis Mahon (1910-2011). Ses *Studies of Seicento Art and Theory* (*Études de l'art et de la théorie du* Seicento, 1947) contribuèrent à changer le regard du public sur le baroque en associant avec profit la théorie de l'art du *Seicento* et la pratique. Elles jouèrent un rôle majeur dans la résurrection du Guerchin aux yeux de la critique. La fluidité de sa prose, son plaisir à manier les mots et les vastes champs de réflexion sont partout manifestes. Prenons, par exemple, ce passage où il traite d'une fresque du Guerchin parmi les moins connues, *Fama* : « *On peut l'affirmer sans hésitation : le passage relève du tour de force de la composition en profondeur. Passé le choc initial devant sa fraîcheur et sa poésie, on se met à apprécier la subtilité de sa construction, cet entrelacs de courbes et de diagonales qui tantôt avance, tantôt recule, résultant en un doux balancement, délicatement équilibré.* »[7] Quel fascinant condensé wölfflinien de la puissance de la profondeur baroque !

Mon jury d'oral était composé de Keith Christiansen, Donald Posner et Linda Nochlin, professeur d'art moderne à l'Institute of Fine Arts. L'examen lui-même passa comme il était venu, dans une sorte de brume. Deux éléments me reviennent en mémoire. D'abord, ma déception de ne pas être en mesure d'affirmer de manière catégorique que Sebastiano Ricci était bel et bien amateur de fromage, comme en témoigne Michael Levey dans *La Peinture à Venise au XVIIIᵉ siècle*[8]. Je me souviens avoir poussé un cri d'allégresse la première fois que j'ai lu ce passage. Ensuite, le « vote » auquel nous nous livrâmes vers la fin de l'examen pour déterminer qui, d'Orazio ou d'Artemisia Gentileschi, avait peint la *Cléopâtre* datée d'environ 1621-1622 et figurant dans la collection Gerolamo Etro à Milan (fig. 4). Les candidats arrivèrent à égalité : Posner et Christiansen votèrent pour Orazio, Nochlin et moi pour Artemisia. Ce moment s'avéra révélateur sur plusieurs plans – personnel, professionnel et politique. La question du genre, que ce soit dans l'art baroque ou dans le champ professionnel, est encore digne du type de réflexion en profondeur que Wölfflin et Posner défendirent de différentes façons.

3– Fermé/ouvert
« Le passage de la forme fermée à la forme ouverte »[9]

Si l'art de la Renaissance est fermé, l'art baroque est grand ouvert. Si les toiles de la Renaissance sont autoréférentielles, les peintures baroques sont en prise avec le monde. Si on a déjà puisé beaucoup de sujets de thèse importants dans la Renaissance, le baroque offre encore des espaces,

Fig. 4 – Artemisia / Orazio Gentileschi

Cléopâtre, huile sur toile, 118 x 181 cm, Milan, collection Gerolamo Etro

Cleopatra

un « *relâchement de la règle* », pour citer Wölfflin[10]. De même que la forme baroque tendait à s'ouvrir, j'avais l'espoir que ma fascination nouvelle pour les femmes artistes et mécènes des débuts de l'art moderne, inspirée par le séminaire de Keith Christiansen sur Orazio et Artemisia Gentileschi au printemps 2001, serait accueillie à bras ouverts. Ce séminaire – qui servait de préparation à l'exposition novatrice qui se tint autour des deux artistes à Rome, New York et Saint-Louis cette année-là – marqua ma rencontre avec Artemisia Gentileschi. Ma réflexion sur les critères de l'art baroque en fut à jamais transformée. Instantanément, je fus attirée par les œuvres et les textes en lien avec Artemisia et engloutie dans l'univers des femmes artistes des débuts de l'art moderne[11].

Durant ce semestre, je vécus avec Artemisia, avec les œuvres, la littérature savante, mais aussi le mythe qui l'entoure. Peut-être sommes-nous même devenues un peu trop proches. Quoiqu'il me coûte d'en faire état, voici le début de l'exposé que j'ai présenté pendant le séminaire. Tout ce que j'espère, c'est que cela s'avère un tant soit peu instructif. Nous commençons tous quelque part.

Dès qu'on aborde la relation entre la peinture d'Artemisia Gentileschi et le féminisme, des partis pris apparaissent. Mon parti pris sera d'essayer d'établir un discours qui permette d'identifier, sinon de démêler, en tous cas d'explorer les complexités de la position d'Artemisia en tant que femme peintre au sein de la peinture italienne du XVIIe siècle, un milieu alors sous domination masculine[12].

Bien que mon approche des femmes artistes ait tendance à se faire moins acerbe aujourd'hui, ma fascination pour le rôle de la « *femme peintre au sein de la peinture italienne du XVIIe siècle, c'est-à-dire d'une profession sous domination masculine* » demeure entière et s'exprime de bien des façons dans mon travail.

Artemisia apparaissait à des fins comparatives dans ma thèse, une étude du mécénat de la grande-duchesse de Médicis Vittoria della Rovere. J'ai récemment abordé la question de la valeur d'un

artiste en fonction de son genre lors d'un colloque qui lui était consacré à Florence. Artemisia fut le sujet de mon premier séminaire de master et sa *Judith décapitant Holopherne* de la Galerie des Offices de Florence le sujet de ma première exposition à l'Art Institute of Chicago. C'est aussi à l'Art Institute of Chicago, où j'ai occupé mon premier poste après ma thèse, que l'univers muséal s'est ouvert à moi d'une façon nouvelle.

4– Multiplicité/unité
« Le passage de la pluralité à l'unité »[13]

Wölfflin comprendrait comme un passage de la multiplicité à l'unité le mouvement qui conduit de la mise en valeur de chaque individu dans une *invenzione* telle que la *Pietà* de Vasari conservée au musée de la Chartreuse de Douai (fig. 5), à la confusion et quasi-fusion des personnages dans celle d'Annibal Carrache conservée au Museo di Capodimonte de Naples (fig. 6). Lorsqu'on entre dans la carrière de conservateur avec l'art baroque pour spécialité, comme je le fis en 2010 au poste de conservatrice associée à l'Art Institute, on s'aperçoit qu'il est important de collaborer avec des collègues d'une manière unifiée et productive. Cependant, il y a ceux qui insistent sur la singularité de leur *invenzione* en matière d'expositions, d'attributions et d'acquisitions, et ceux qui reconnaissent qu'il s'agit d'abord et avant tout d'un effort collectif. Semblable à l'étreinte de la Vierge dans le tableau d'Annibal, la collaboration est un élément clé du succès durable de l'art baroque en Amérique aujourd'hui.

Il est un exemple particulier de tension entre unité et multiplicité dans la profession qui m'a toujours frappée : l'échange passionné – le mot est faible – entre Donald Posner et deux des plus influents chercheurs américains sur les peintures française et italienne du XVIIe siècle, Elizabeth Cropper et Charles Dempsey, qui anima les pages de l'*Art Bulletin* en 1988, notamment au sujet dudit Annibal Carrache[14]. Si vous n'avez jamais lu cet échange, je vous préviens, il exsude l'animosité. En 1987, Cropper et Dempsey publient un important panorama du monde de l'art baroque dans l'*Art Bulletin*, une revue de référence[15]. Posner adresse

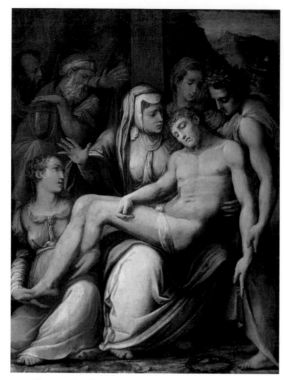

Fig. 5 – Giorgio Vasari

Pietà, vers 1550, huile sur bois, 174 x 130 cm, Douai, France, musée de la Chartreuse

Pietà

alors à la revue une tribune qu'on ne peut guère qualifier d'aimable. « *Le fait que l'article de Cropper et Dempsey, tout comme leurs centres d'intérêt, se limite à la peinture du XVIIe siècle, essentiellement à Rome et à Bologne, montre clairement qu'ils ne sauraient bien nous guider à travers la recherche contemporaine ou nous conduire vers celle de demain.* »[16] Dans leur réponse, Cropper et Dempsey expliquent que « *la lettre de Donald Posner est tout bonnement affreuse* » et que les raisons qui l'ont poussé à l'écrire « *dépassent leur entendement* ». « *Il qualifie notre travail en général de répétitif et d'injuste et nous décrit personnellement comme ayant des intérêts bornés, un point de vue de myopes et un "regard peu généreux" sur le travail d'autrui* », poursuivent-ils[17].

Aussi désagréable soit-il, cet échange fournit matière à réflexion. Depuis le début de ma courte

carrière, le monde de l'art baroque m'en a appris beaucoup sur la tension entre unité et multiplicité sur le plan stylistique, mais il m'a aussi prodigué de précieuses leçons en matière de diplomatie au travail. J'ai vite appris que ce genre de discours véhément est un luxe qu'on ne peut pas s'offrir lorsqu'on réalise un projet artistique. Aujourd'hui, à mon poste de directrice adjointe chargée des collections et de conservatrice en chef du Davis Museum de Wellesley College, un lieu bien plus petit que l'Art Institute, amener notre structure composite à faire front commun malgré une multiplicité d'approches et de points de vue singuliers est mon lot quotidien.

5– Clarté/obscurité

« La clarté absolue ou la clarté relative des objets présentés »[18]

Je conclurai avec Wölfflin par « *la clarté absolue et la clarté relative des objets présentés.* » Pour Wölfflin, alors que la Renaissance s'accrochait à l'idéal de la clarté absolue du sujet, le baroque s'accommodait d'une clarté relative. Par ailleurs, comme Cropper et Dempsey le faisaient justement remarquer dans leur panorama de 1987, « *à mesure que les vieux paradigmes wölffliniens sont ébranlés par les nouveaux éléments qu'ils ont fait advenir… le besoin d'un nouveau discours historique et stylistique se fait de plus en plus pressant.* »[19] Pour ma part, je dirais que les paradigmes de Wölfflin ont leur rôle à jouer aujourd'hui, mais qu'il nous faut toujours faire place à de nouvelles approches de l'art baroque qui permettent au cénacle des conservateurs, des chercheurs et des marchands de coexister dans une clarté relative sur la question. Pour nous en remettre aux mots de Wölfflin lui-même, « *la clarté classique* [de la Renaissance n'est que] *la présentation de formes d'une stabilité absolue ; et l'obscurité baroque n'est que le nom d'une forme changeante, toujours en voie de métamorphose.* »[20] À mesure que le monde de l'art baroque évolue, nous devons faire une place aux changements et à la perpétuelle métamorphose.

Pour que la discipline demeure vivante et dynamique, avant toute chose, il faut que les étudiants fassent eux-mêmes l'expérience de sa vitalité dans les écoles et les universités du monde entier – comme ce fut mon cas au Smith College. Il faut aussi que les conservateurs continuent à monter des expositions d'art baroque sur les thèmes les plus variés. Il faut que les reproductions d'art baroque soient mises à la disposition du plus grand nombre sur le web et publiées sur les réseaux sociaux. Pour rester pertinente, la discipline doit reconnaître et célébrer les contributions de penseurs phares tels que Wölfflin et Wittkower. En même temps, il faut que les professeurs, les conservateurs et les marchands ouvrent la porte à des artistes non canoniques ainsi qu'à de nouvelles approches. Tout comme j'ai pu m'enflammer pour les questions de genre dans l'art baroque, nous devons permettre à toute une palette de futurs étudiants de se frayer leur propre chemin jusqu'à des thèmes encore inexplorés. Tout comme le Caravage a révolutionné l'art au tournant du XVIIe siècle, nous devons faire une place à l'insurrection dans le domaine de l'art baroque. Nous pouvons tous résister aux évolutions et nous cramponner à nos exemplaires écornés des *Principes fondamentaux de l'histoire de l'art*, mais le changement viendra et nous devons l'embrasser !

Fig. 6 – Annibal Carrache

Pietà, 1599-1600, huile sur toile, 156 x 149 cm, Naples, Museo di Capodimonte

Pietà

1– Heinrich Wölfflin, *Principes fondamentaux de l'histoire de l'art*, traduit par Claire et Marcel Raymond (1952), Brionne, Gérard Monfort éditeur, 1989, p. 7-8.

2– Wölfflin, p. 15.

3– Wölfflin, p. 16.

4– Wölfflin, p. 83.

5– Grace Glueck, « Donald Posner, Art Historian and Baroque Scholar, Dies at 73 », *The New York Times*, 28 août 2005 (disponible en ligne).

6– Parmi les grands noms de l'histoire de l'art issus de l'émigration juive figurent également Erwin Panofsky (1892-1968), Richard Krautheimer (1897-1994) et Ernst Gombrich (1909-2001).

7– Denis Mahon, *Studies in Seicento Art and Theory*, Westport, Connecticut, 1975, p. 29.

8– Levey note que Ricci « *semble avoir passé une grande partie de son temps à manger du fromage.* » Michael Levey, *La Peinture à Venise au XVIIIe siècle*, traduit de l'anglais par Françoise Falcou (1964), Brionne, Gérard Monfort éditeur, 1987, p. 31.

9– Wölfflin, p. 16.

10– Wölfflin, p. 16.

11– L'intérêt pour ces femmes naquit dans les années 1970, en grande partie grâce au travail précurseur de l'historienne de l'art féministe Linda Nochlin, auprès de qui j'ai également eu la chance d'étudier à l'Institute of Fine Arts.

12– Eve Straussman-Pflanzer, *Defying the Canon: A Discussion of Artemisia Gentileschi and Feminist Art Historical Discourse*, 2001, non publié. Archives personnelles d'Eve Straussman-Pflanzer, Wellesley, Massachusetts.

13– Wölfflin, p. 16.

14– Donald Posner, Elizabeth Cropper et Charles Dempsey, « Letters: On the State of Research in Italian Baroque Art », *The Art Bulletin*, n° 70, 1988.

15– Elizabeth Cropper et Charles Dempsey, « On the State of Research in Italian Baroque Art », *The Art Bulletin*, n° 69, 1987.

16– Posner, Cropper et Dempsey, p. 139.

17– Posner, Cropper et Dempsey, p. 139.

18– Wölfflin, p. 17.

19– Cropper et Dempsey, 1987, p. 140.

20– Wölfflin, p. 252.

Baroque Art Today: A Reflection

Eve Straussman-Pflanzer (Assistant Director of Curatorial Affairs /
Senior Curator of Collections, Davis Museum, Wellesley College)

My first period of sustained exposure to Baroque art occurred at Smith College in 1999. Over the course of one year, I was fortunate to take two life-altering courses: 17th-century Italian and Spanish art surveys with Professor Craig Felton, an expert on Jusepe de Ribera (1591-1652). I remember several aspects of these courses vividly. First, I always found myself seated in the front row; at the time, I thought such a choice was informed by overwhelming inquisitiveness. Or, to put it another way, close proximity to the image and the professor might make me more of an absorbent sponge. Little did I know, however, that the end of that year would find me with my first pair of eyeglasses; despite being mitigated by myopia, these courses were my first lessons in close looking. It was also the first time that my visceral reactions to art went hand-in-hand with intellectual rigor. To this day, Jusepe de Ribera's *Apollo Flaying Marsyas* (fig. 2) makes me wince and avert my eyes. Born was my passion for the immediate and overt emotionality of much Baroque art. I responded to Caravaggio's *Madonna di Loreto*, where the pilgrim's dirty heels appeared to spill over the picture plane into my lap; to Artemisia Gentileschi's *Judith Slaying Holofernes*, where Holofernes's blood seemingly splurted onto my chemise; and to the swollen tears and bloodstained eyes of Carlo Dolci's *Penitent Magdalene* (fig. 3) to whom I wished to offer solace – or a handkerchief, at the very least. I found new interlocutors in the paintings of the Carracci, Caravaggio, and Velázquez that will, I suspect, remain lifelong companions.

The storied legacy of Baroque art soon announced itself to me. At this critical stage at Smith, I discovered my friend and yours: art historian Heinrich Wölfflin (1864-1945) and his seminal and vastly influential *Principles of Art History* from 1915, which conveniently culminates in the Baroque period. I remember the relief I felt upon reading Wölfflin's distinct set of binaries: linear/painterly; plane/recession; closed/open; multiplicity/unity; and clarity/obscurity. They reverberated off my tongue almost like a chant. For Wölfflin, the Baroque period was tantamount to how others perceived Modern art – that is, a culmination of stylistic development. Why move forward in time when all one needed was right there in the Seicento?

Later on – rather than appreciate the surety of its warm embrace – I would come to find Wölfflin's binary structure rather restrictive. This structure nonetheless offers a useful frame for my reflections on Baroque art. As I have come to find with Wölfflin's approach to art history, along with myriad others, it is only once employed that its strengths and weaknesses are revealed. "We shall realize that a certain conception of form is necessarily bound up," Wölfflin presciently writes, "with a certain tonality and shall gradually come to understand the whole complex of personal characteristics of style as the expression of a certain temperament."[1] Thus Wölfflin touches upon the delicate issue of style as it relates to the individual artist; in this essay, on the other hand, the trials and tribulations of one art historian will be explored in relation to the formal characteristics of Baroque art.

Part I – Linear/Painterly

"The development from the linear to the painterly, i.e. the development of line as the path of vision and guide of the eye, and the gradual depreciation of line."[2]

The year after college, as an Editorial Assistant in the Merchandising Department at The Metropolitan Museum of Art, I subverted the linear path to graduate school and took comfort in the nebulous realm of the post-collegiate haze. Tasks included writing and copyediting the tombstone information on the Met's postcard and notecard boxes. It also involved getting merchandise approved by curators. I vividly recall getting paper plates with a toile pattern approved by none other than Thomas Campbell, now Director of the Met. This exploratory period was not as aimless as it might appear. As I copyedited his postcards countless times for reorder, due to the artist's popularity on paper, Cézanne's death date of 1906 and his pronounced, diagonal painterly approach are forever etched in my mind. I also availed myself at every opportunity to take Met tours and attend nearly every lecture held in Grace Rainey Rogers Auditorium that year – with broad brushstrokes I slowly started to see a path.

As part of this progression, I developed a long and lasting relationship with Velázquez's *Juan de Pareja* (fig. 1). I would make a daily pilgrimage to pay my respects. I was entranced by how Velázquez's diffuse brushstrokes came together to create someone so alive, so present, and so engaged with each and every viewer. I noted with glee the tiny stroke of red paint on his right ear, unmixed, which stands out to the keen observer.

Each day Velázquez's assistant – a painter in his own right, I would later learn – would be in a different mood. Some days found Juan haughty looking down on me from up high; on other days, he appeared kind, emotionally generous, and with a sympathetic glance. Velázquez's ability to paint something fixed, but also in eternal flux continues to astound me. In fact, this "relationship" with Juan was discussed, perhaps ill-advisedly, in my admission essay for graduate school in art history. A period of self-discovery that commenced in the abstract haze of uncertainty found a clear, distinct, and, dare I say it, linear next step. In 2000, I enrolled in my first year at the Institute of Fine Arts, New York University – having learned that the "the development from the linear to the painterly" does not have to be a one way street, either in the progression of the Renaissance to the Baroque or a person's life. Of course, I foolishly hoped that the next chapter would be more clear-cut.

Part II – Plane/Recession

"Classic art reduces the parts of a total form to a sequence of planes, the baroque emphasises depth."[3]

"If we say that the development took place from a plane type into a recessional type, we have said nothing in particular," as Wölfflin states at the beginning of Chapter 2 in *Principles of Art History*.[4] Just as if we say that graduate school at its zenith must lead to a dissertation topic, we have said nothing of note. If in the Quattrocento and Cinquecento, they had perspectival planes perpetually on the mind, it is fair to suggest that every graduate student thinks often and frequently of the form (and topic) that their dissertation will take – naturally hoping, albeit with much hubris, that it will revolutionize the field, much the way that recession/perspective did to the two-dimensional plane so many centuries ago.

During my next chapter at the Institute of Fine Arts, I began my art historical studies on a new plane. I entered armed with a distinct set of binaries, but not much depth of understanding. I was privileged to study with the late Donald Posner, Ailsa Mellon Bruce Professor of Fine Arts at the IFA, where he had taught since 1962 – and who was himself a student of Walter Friedlaender (1873-1966). As Posner's 2005 obituary in *The New York Times* noted: "Friedlaender, a pioneer in the re-evaluation of Baroque art, was one of the prominent refugees from Nazi Germany and Austria who brought new vigor to the field of art history in America. At the Institute, Mr. Posner soon emerged as Friedlaender's heir apparent in the Baroque field."[5]

As one of the last heirs to the uncompromising generation of Jewish art historians from Germany and Austria who revolutionized the field in the United States and Britain, many of whom focused on the Baroque – including Rudolf Wittkower (1901-71) and Julius Held (1905-2002) – Posner stood on sacrosanct ground.[6] Posner espoused this role with the utmost seriousness

– eschewing planar thought in favor of a systematic critique of any argument or approach to art history. One could not risk employing an argument or theory superficially – only a deeply wrought, graceful arc of argument would do. Posner's classes on European art of the 17th and 18th centuries – along with the four that I took on early modern Italian art with Keith Christiansen, now John Pope-Hennessy Chairman of the Department of European Paintings at the Met – helped me to privilege information and get to the crux of an idea by delving into heretofore unexplored recesses of my mind.

Fortified with these insights, I embarked on both a privileged and dreaded period of my studies – studying for oral exams. Picture several hours in a dark room with potentially unknown slides and questions rapidly flying! I vividly remember Keith Christiansen's now haunting reminder – "Enjoy this time! You may never read again!" I did not quite grasp what he meant then, but professional obligations and life's many peregrinations do take their toll on time – as I now know all too well. It was four months of unfettered reading and thought – a period to broaden and deepen ones perspective on the history of art.

Some of my fondest memories from this period of uninterrupted study are of delighting in the writings of the late Sir Denis Mahon (1910-2011). His 1947 *Studies of Seicento Art and Theory* helped alter public opinion on the Baroque by combining Seicento art theory with practice to great effect, and had a major impact in resurrecting the critical reputation of Guercino. The fluidity of his prose and his obvious delight in language and expansive thought is everywhere evident. Take for instance a passage on Guercino's lesser-known *Fama* fresco where he writes that "we can have little hesitation in recognizing the passage as something in the nature of a *tour de force* of recessional composition. After the first impact of its freshness and poetry, we begin to enjoy the subtlety of its construction, with its interweaving of curves and diagonals, now pushing forward, now falling back, resulting in a gentle rocking movement, exquisitely balanced."[7] What a mesmerizing Wölfflinian encapsulation of the power of the Baroque recessive plane!

My orals committee consisted of Keith Christiansen, Donald Posner, and Linda Nochlin, the Lila Acheson Wallace Professor of Modern Art at the Institute of Fine Arts. The exam itself came and went in a blur. Two things stand out. First, my disappointment in not being able to assert emphatically that Sebastiano Ricci was, in fact, a lover of cheese, as attested to by Michael Levy in *Painting in Eighteenth-Century Venice*.[8] I remember squealing in delight upon first reading that passage. Second, the "vote" that took place towards the end of the exam as to which Gentileschi, Orazio or Artemisia, painted the *Cleopatra*, c. 1611-12, in the Gerolamo Etro Collection, Milan (fig. 4). The vote was split down the middle – Posner and Christiansen voted for Orazio and Nochlin and I for Artemisia. This moment was revelatory on many levels – personally, professionally, and politically. The issue of gender in both Baroque art and the professional field is still worthy of the type of deep, recessive thinking that Wölfflin and Posner championed in different ways.

Part III – Closed/Open
"The development from closed to open form."[9]

If Renaissance art is closed, Baroque art is wide open. If Renaissance paintings are self-referential, Baroque pictures engage with the world. If the Renaissance has been mined for important dissertation topics, the Baroque still offers room – "the relaxation of rules," as Wölfflin would have it.[10] Just as Baroque form tends to open up, the hope is that my newfound fascination with early modern women artists and patrons – inspired by Keith Christiansen's Spring 2001 seminar on Orazio and Artemisia Gentileschi – would be met with open arms. This seminar – taught in preparation for the groundbreaking show on the two artists in Rome, New York, and St. Louis that year – introduced me to Artemisia Gentileschi. My thinking about the parameters of Baroque art has never been the same. Instantaneously, I was drawn to the art and literature surrounding Artemisia, and a world of early modern women artists soon engulfed me.[11]

That semester, I lived with Artemisia – the art and scholarly literature, as well as the myth that surrounds her. Perhaps we got a little too close for comfort. Although it pains me to share, here is the opening passage to my seminar presentation. My only hope is that it proves instructive to some, small degree. We all start somewhere.

"An agenda is manifest in any discussion of the relationship between Artemisia Gentileschi's painting and feminism. My agenda is to attempt to establish a discourse that enables the complexities of Artemisia's position as a female painter in the male dominated profession of seventeenth-century Italian painting to be identified and, if not unraveled, at least explored."[12]

Although my approach to women artists today tends not to be quite so acerbic, a fascination with the role of the "female painter in the male dominated profession of seventeenth-century Italian painting" endures and has found many avenues of expression in my work.

Artemisia appeared for comparative purposes in my dissertation, a patronage study of Medici Grand Duchess Vittoria della Rovere. I recently spoke on the topic of gendered value at a symposium devoted to the artist in Florence. Artemisia was, in fact, the subject of my first seminar in graduate school and her *Judith Slaying Holofernes* from the Uffizi Gallery in Florence was the subject of my first show at the Art Institute of Chicago. It was also at the Art Institute of Chicago – my first job after receiving my PhD – where the curatorial world opened up to me in a new manner.

Part IV – Multiplicity/Unity
"The development from multiplicity to unity."[13]

Wölfflin would understand the movement from Vasari's emphasis on each individual in an *invenzione* such as his *Pietà* in the Musée de la Chartreuse in Douai (fig. 5) to Annibale Carracci's melding, almost melting, of figures of the same subject now in the Museo di Capodimonte in Naples (fig. 6) as a progression from multiplicity to unity. As one enters into the curatorial profession as a curator of Baroque art – as I did as the Patrick G. and Shirley W. Ryan Associate Curator at the Art Institute in 2010 – one sees the importance of working with colleagues in the curatorial community in a unified and productive fashion. There are those, however, who insist on the singularity of their *invenzione* in the form of exhibitions, attributions, and acquisitions and those who recognize first and foremost that it is a collaborative effort. Like the Virgin's embrace of Christ in Annibale's picture, collaboration is key to the continued success of Baroque art in America today.

I have always been struck by a particular example of unity versus multiplicity in the field – the heated, to put it mildly, exchange that includes the aforementioned Annibale Carracci in the *Art Bulletin* in 1988 between Donald Posner and two of the most influential American scholars in the field of 17th-century Italian and French painting.[14] For those of you that have not read this exchange, I warn you, it is ripe with animosity. In 1987, Elizabeth Cropper and Charles Dempsey had written an important overview of the field of Baroque art published in the *Art Bulletin*, a leading journal.[15] Posner wrote a letter to the editor and it is none too sympathetic. "The fact that Cropper and Dempsey restrict their essay," writes Posner, "like their personal interests, to painting, mainly in Rome and Bologna, in the seventeenth century, demonstrates clearly that they are not satisfactory guides to today's research or leaders towards tomorrow's."[16] To which, Cropper and Dempsey in a subsequent letter to the editor that year state that "Donald Posner's letter is simply awful, and we cannot comprehend" the reason he wrote it. "He calls our work in general repetitive and unfair," they continue, "and he characterizes us personally as having narrow interests, a myopic focus, and an 'ungenerous regard' for the work of others."[17]

The exchange, however unpleasant, offers much food for thought. In my short path thus far, the field of Baroque art has taught me as much about multiplicity versus unity in stylistic terms as it has offered valuable lessons of their role in workplace diplomacy. I quickly learned that one does not have the luxury of such strident discourse when realizing a curatorial project. In my present position, as the Assistant Director of Curatorial Affairs/Senior Curator of Collections at the Davis Museum at Wellesley College, which is much smaller in scale than the Art Institute, it is my job on a daily basis to guide our compositional framework to a unified front, despite a multiplicity of singular viewpoints and approaches.

Part V – Clarity/Obscurity
"The absolute and the relative clarity of the subject."[18]

I will close, as Wölfflin does, with "the absolute and relative clarity of the subject." For Wölfflin whilst Renaissance clung to the ideal of absolute clarity of subject, the Baroque made due with relative clarity. As Cropper and Dempsey also rightly pointed out in their 1987 overview, "as the old Wölfflinian paradigms have gradually become undermined by the new evidence they have brought to bear… the need for new stylistic and historical discourse has become all the more pressing."[19] I would argue that Wölfflin's paradigms have a place today, but we must always leave room for new approaches to the field of Baroque art that enable the coterie of curators, academics, and dealers to co-exist with relative clarity on the subject of Baroque art. Or, to leave us with Wölfflin's own words, Renaissance "classic clearness means representation in ultimate, enduring forms; baroque unclearness means making the forms look like something changing, becoming."[20] As the field of Baroque art evolves, we must allow it the room to change and ever be in a state of becoming.

To keep the field alive and vibrant today, first and foremost, students must experience firsthand – much as I did at Smith College – the vitality of the subject at colleges and universities across the globe. Curators must also continue to mount exhibitions of Baroque art on a wide variety of topics. Images of Baroque art must be widely available on the web and posted on social media platforms. To remain relevant, the field must recognize and celebrate the contributions of such past luminaries as Wölfflin and Wittkower; at the same time, professors, curators, and dealers alike must open the door to non-canonical artists and fresh approaches to Baroque art. Much as I became enflamed by issues of gender in Baroque art, we must allow a diverse array of future students to light their own path to heretofore uncharted subjects. Much as Caravaggio revolutionized art around 1600, so too must we allow space for insurgency in the field of Baroque art. We may all resist change and cling to our dog-eared copies of *Principles of Art History*, but change will come and embrace it we must!

1– Heinrich Wölfflin, *Principles of Art History: The Problem of the Development of Style in Later Art*, translated by M. D. Hottinger, New York, 1940, p. 6.
2– Wölfflin, p. 14.
3– Wölfflin, p. 15.
4– Wölfflin, p. 73.
5– Grace Glueck, "Donald Posner, Art Historian and Baroque Scholar, Dies at 73", *The New York Times*, August 28, 2005. Online.
6– Other prominent Jewish art history émigrés include Erwin Panofsky (1892-1968), Richard Krautheimer (1897-1994) and Ernst Gombrich (1909-2001).
7– Denis Mahon, *Studies in Seicento Art and Theory*, Westport, CT, 1975, p. 29.
8– Levy notes that Ricci "appears to have passed a good deal of time consuming cheese." Michael Levy, *Painting in Eighteenth-Century Venice*, New Haven, CT, 1994, p. 36.
9– Wölfflin, p. 15.
10– Wölfflin, p. 15.
11– This began in the 1970s, thanks largely to the farsighted work of the feminist trail-blazing art historian Linda Nochlin, with whom I was also fortunate to study at the Institute of Fine Arts.
12– Eve Straussman-Pflanzer. *Defying the Canon: A Discussion of Artemisia Gentileschi and Feminist Art Historical Discourse*, 2001, 1. TS. Collection of Eve Straussman-Pflanzer, Wellesley, MA.
13– Wölfflin, p. 15.
14– Donald Posner, Elizabeth Cropper, and Charles Dempsey, "Letters: On the State of Research in Italian Baroque Art", *The Art Bulletin*, 70, 1988.
15– Elizabeth Cropper and Charles Dempsey, "On the State of Research in Italian Baroque Art", *The Art Bulletin*, 69, 1987.
16– Posner, Cropper, and Dempsey, p. 139.
17– Posner, Croper, and Dempsey, p. 139.
18– Wölfflin, 15.
19– Cropper and Dempsey, 1987, p. 140.
20– Wölfflin, p. 222.

Crédits photographiques
Albertina (Vienne) ; Collezione Aldobrandini (Frascati) ; Museo di Capodimonte (Naples) ; Musée de la Chartreuse (Douai) ; The Davis Museum (Wellesley) ; Collection Gerolamo Etro (Milan) ; Institut des arts de Detroit ; Kimbell Art Museum, Fort Worth, Texas ; Fondazione Roberto Longhi (Florence) ; The Los Angeles County Museum of Art ; Musée du Louvre (Paris) dist. RMN-Grand-Palais/Philippe Fuzeau ; The Metropolitan Museum of Art (New York), www.metmuseum.org ; National Gallery of Art (Washington), www.nga.gov ; The Nelson-Atkins Museum of Art (Kansas City) ; North Carolina Museum of Art (Raleigh) ; Collection of the The John and Mable Ringling Museum of Art, the State Art Museum of Florida, Florida State University (Sarasota) ; Wadsworth Atheneum Museum of Art (Hartford)

 Cet ouvrage a été réalisé grâce au soutien de GT Finance.

Conception graphique : François Brécard

Traduction : Ros Schwartz Translations Ltd, Londres
Lucinda Byatt, Jacqueline Carnaud, Yoann Gentric,
Dafydd Roberts, Mireille Ribière, Anne Walgenwitz
Correctrices : Sylvie Venet-Tupy, Pat Barylski
Coordinatrice : Ros Schwartz

Achevé d'imprimer en octobre 2015 sur les presses de l'imprimerie Cloître, à Landerneau (France)